Les troubles anxieux expliqués aux parents

La Collection de l'Hôpital Sainte-Justine

pour les parents

Les troubles anxieux expliqués aux parents

Chantal Baron

Éditions de l'Hôpital Sainte-Justine

Centre hospitalier universitaire mère-enfant

Données de catalogage avant publication (Canada)

Baron, Chantal

Les troubles anxieux expliqués aux parents

(La collection de l'Hôpital Sainte-Justine pour les parents)

Comprend des réf. bibliogr.

ISBN 2-922770-25-7

1. Angoisse chez l'enfant. 2. Angoisse. 3. Angoisse chez l'enfant - Diagnostic. 4. Angoisse chez l'enfant - Traitement. I. Hôpital Sainte-Justine. II. Titre. III. Collection : Collection de l'Hôpital Sainte-Justine pour les parents.

RJ506.A58B37 2001 618.92'85223 C2001-941462-5

Illustration de la couverture : Stéphane Jorisch
Infographie : Céline Forget

Diffusion-Distribution au Québec : Prologue inc.
en France : Casteilla Diffusion
en Belgique et au Luxembourg : S.A. Vander
en Suisse : Servidis S.A.

Éditions de l'Hôpital Sainte-Justine
3175, chemin de la Côte-Sainte-Catherine
Montréal (Québec) H3T 1C5
Téléphone : (514) 345-4671
Télécopieur : (514) 345-4631
www.hsj.qc.ca/editions

ISBN 2-922770-25-7

Dépôt légal : Bibliothèque nationale du Québec, 2001
Bibliothèque nationale du Canada, 2001

La Collection de l'Hôpital Sainte-Justine pour les parents bénéficie du soutien du Comité de promotion de la santé et de la Fondation de l'Hôpital Sainte-Justine.

Remerciements

Je remercie les Claudia, Julie, Jacinthe, Chloé, Michaël et leurs parents. Bien sûr j'ai changé leurs noms mais, s'ils me lisent, ils reconnaîtront leur histoire. Je les remercie, eux et tous les autres qui m'ont consultée, de m'avoir accordé leur confiance. Ils m'ont tant appris. En retour, je pense aussi leur avoir appris quelque chose sur eux-mêmes et sur une meilleure façon d'aborder la vie.

Table des matières

Introduction

Les troubles anxieux chez les enfants et les adolescents ont longtemps été sous-évalués, pour ne pas dire méconnus. On parlait bien d'anxiété, voire de stress, on disait bien d'un enfant qu'il était peureux, gêné ou même nerveux ; mais de là à en faire un *syndrome*, un *trouble*, c'est-à-dire une *maladie*, il y avait un pas qu'on ne franchissait pas. Encore maintenant certains parents, apprenant que leur enfant souffre d'un trouble anxieux, réagissent souvent avec incrédulité ou scepticisme, et même avec colère devant ce qu'ils considèrent comme une absurdité : « Comment l'enfant que nous entourons de tant de soins et d'affection pourrait-il présenter un trouble anxieux ? » « Vous savez, docteur, on lui donne tout ce qu'on peut et on fait de notre mieux. » C'est la réaction habituelle des parents dans les circonstances. Certains ajoutent : « Moi, je suis comme cela, mais je n'ai jamais reçu tout ce que mon enfant a reçu. Mes parents n'ont jamais pris soin de moi comme je le fais pour lui. »

Et voilà ! En pleine consultation, les dés sont jetés pour le grand débat. Cette anxiété a-t-elle surgi en réaction à un monde troublé et toujours plus rapide, qui interfère avec le rythme et les besoins de l'enfant ? Ou bien est-ce réellement une maladie relevant de causes multiples et qu'il faut traiter ?

Dans un premier temps, après avoir reçu un diagnostic si difficile, les parents réagissent souvent en cherchant toutes sortes de causes extérieures à la famille : « C'est à cause de l'école, c'est à cause des enfants du voisin, c'est à cause de la télévision si mon enfant est comme cela. » Il leur faudra souvent plus d'une rencontre avec le psychiatre pour admettre qu'il existe vraiment des maladies anxieuses se manifestant en bas âge et dont leur enfant serait porteur.

Quelles sont les causes de ce trouble ? Que faire pour aider l'enfant ? Peut-il en guérir ? Autant de questions angoissées auxquelles les parents font face dès le diagnostic lancé.

Nous nous adressons ici aux parents qui vivent ce problème. Notre seule ambition consiste à tenter de répondre à la majorité de leurs questions et à la plus angoissante d'entre elles : « Est-ce que c'est de notre faute ? »

Nous ne cherchons pas à faire un étalage savant et exhaustif des connaissances actuelles sur la question des troubles anxieux, d'autant que, malgré d'intenses recherches sur le sujet, il reste encore bien des inconnues. Nous voulons plutôt partager avec les parents ce que nous avons acquis au terme de trente années de consultations pédopsychiatriques auprès d'enfants et de leurs parents. Nous retranscrirons ici les mots des enfants, leurs angoisses et leurs refus, en espérant que ces témoignages aident des parents inquiets du sort de leurs enfants qui souffrent.

Nous définirons et décrirons ici les troubles anxieux. Précisons-le : il s'agit d'une anxiété devenue maladie. L'anxiété n'est pas invalidante en soi ; au contraire, il en faut une certaine dose pour créer, pour inventer. Ni l'inquiétude avant un examen ni le trac, cette forme mineure d'anxiété sociale dans les situations où une personne s'expose à l'appréciation des autres, ne sont pathologiques ou inquiétants. Cette anxiété est un phénomène normal et même prévisible, que ce soit lors d'un exposé oral devant la classe ou avant une pièce de théâtre jouée devant l'école. Il ne faut pas confondre la maladie anxieuse, ou ce que nous appelons ici le trouble anxieux, et l'anxiété momentanée d'un enfant.

À un moment ou à l'autre de la vie, nous sommes tous anxieux face à certaines situations; mais cette anxiété marque l'émergence de ce qui est vraiment humain en nous. Ainsi chez le nourrisson, l'angoisse du 8e mois est une angoisse structurante, qui témoigne de la nouvelle capacité du bébé de comparer du connu à de l'inconnu. Cette capacité fonde les relations humaines authentiques, à tel point que si cette angoisse n'apparaît pas, on peut douter de la capacité de l'enfant à distinguer les différentes personnes qui lui sont familières et, du même coup, à témoigner de sa capacité d'attachement. Ce phénomène est aussi à la base de la connaissance même puisque, pour emmagasiner de l'information, notre cerveau fonctionne toujours sur ce mode binaire: connu-pas connu.

Ce qui est pathologique, et le *Manuel diagnostique et statistique des troubles mentaux* de l'American Psychiatric Association (DSM-IV) le précise bien, c'est quand l'anxiété est **suffisamment grande pour altérer de façon marquée le fonctionnement** d'un enfant ou d'un adolescent et ce, **pour une durée suffisamment longue**. Prenons l'exemple d'un adolescent qui a toujours bien fonctionné à l'école et qui, brusquement, refuse d'y retourner, rougissant et transpirant à grosses gouttes si on essaie de le forcer à y aller. Cet adolescent démontre un niveau d'angoisse tout à fait anormal et si cet état dure quelque six mois, compromettant du même coup son année scolaire, on peut parler d'un trouble d'anxiété sociale ou encore d'une phobie sociale.

C'est plutôt de ce type d'anxiété que nous traiterons ici, de cette anxiété pathologique organisée en syndrome. Il était important de le préciser dès le début.

Le mal de vivre des enfants atteints de trouble anxieux constitue souvent une énigme pour les parents inquiets. Si, au lieu de cela, ce mal devient un chemin pour communiquer et grandir ensemble, alors nous aurons atteint notre but en écrivant le présent livre.

Chapitre 1

La réalité des troubles anxieux

▼

La réalité des maladies anxieuses n'a été vraiment reconnue que récemment. On admet maintenant qu'un enfant peut présenter tous les troubles anxieux que l'on retrouve chez les adultes, en plus d'un trouble d'angoisse de séparation propre à l'enfance et qui ne se voit plus guère après 15 ans. Certaines modifications s'imposent pour que les critères diagnostiques correspondent à la réalité de l'enfant. Cependant, dans l'ensemble, on utilise les mêmes critères pour les enfants et pour les adultes.

Avec les enfants, le plus gros problème consiste à « déchiffrer » les symptômes. En effet, les petits expriment leur anxiété dans un langage et avec des moyens différents des adultes. Comment découvrir, par exemple, qu'un enfant qui dit ne plus aimer le hockey est en réalité terrorisé par d'autres enfants. Nous parlerons plus loin d'un petit garçon dont le cas est particulièrement clair : pour évoquer sa peur panique qu'un événement effroyable ne lui arrive, il parle d'un grand géant malfaisant. Un grand géant que l'on ne voit pas, mais dont on sent la menace, n'est-ce pas une chose effroyable !

Les chiffres nous rappellent que les troubles anxieux définis au chapitre suivant ne sont pas rares. Une recherche faite en 1999[1], comprenant 861 adolescents de 16 à 17 ans interrogés dans le cadre d'une entrevue clinique lors d'un dépistage systématique, comptait 2,8 pour 100 de jeunes atteints de trouble obsessif-compulsif; 0,9 pour 100, de trouble d'anxiété généralisée; et 16,8 pour 100, de phobies. Cette étude montrait aussi que ces troubles avaient tous commencé entre 12 et 13 ans. Cela concorde avec les données d'une autre recherche[2] qui situe en majeure partie le début des troubles anxieux entre 10 et 13 ans. En ce qui concerne le trouble obsessif-compulsif, le début se situerait entre 10 et 19 ans. On voit que ces troubles commencent tôt dans l'enfance et qu'ils doivent alerter les parents.

Une autre étude, réalisée en Italie[3], donne des chiffres de 2,9 à 4,6 pour 100 pour le trouble d'anxiété généralisée et un âge d'apparition de 8 ans 8 mois, ce qui correspond à notre expérience en clinique. Enfin, chose intéressante, un autre chercheur[4] trouve que le trouble d'anxiété de séparation est plus fréquent que le trouble d'anxiété généralisée; il constate aussi de plus grandes difficultés de séparation chez les enfants ayant une maladie chronique ou des hospitalisations.

Certaines populations sont particulièrement susceptibles de faire un trouble anxieux. Ainsi, de 8 à 45 pour 100 des

1. ZOHAR, AH. *The epidemiology of obsessive-compulsive disorder in children and adolescents.* Child & Adolescent Psychiatric Clinics of North America 1999; 8(3): 445-460.

2. RASMUSSEN SA, EISEN JL. *Treatment strategies for chronic and refractory obsessive compulsive disorder.* Journal of Clinical Psychiatry 1997; 58(suppl 13): 9

3. MASI G, MUCCI M, FAVILLA L, ROMANO R, POLI P. *Symptomatology and comorbidity of generalized anxiety disorder in children and adolescents.* Comprehensive Psychiatry 1999; 40(3): 210-215.

4. COSTELLO EJ, COSTELLO AJ, EDELBROCK C, BURNNS BJ, DULCAN MK, BRENT D, JANISZEWSKI S. *Psychiatric disorders in pediatric primary care. Prevalence and risk factors.* Archives of General Psychiatry 1988; 45(12): 1107-1116.

enfants brûlés (notons l'écart dans les pourcentages) présenteraient un état de stress post-traumatique. Enfin, la fréquence du trouble d'anxiété sociale est loin d'être négligeable puisqu'un récent rapport national américain estime que 13,3 pour 100 des enfants en sont atteints. Cela est particulièrement grave quand on sait que plus de la moitié des jeunes atteints de phobie sociale ne finiront pas leurs études de niveau secondaire, que leurs revenus seront nettement inférieurs à la moyenne et qu'ils seront beaucoup moins nombreux à se marier.

Dans tous les cas, les troubles associés sont multiples, qu'il s'agisse d'un autre trouble anxieux ou d'un état dépressif. Ce qui est essentiel pour reconnaître un trouble anxieux, c'est de constater que l'enfant ne fonctionne plus dans son milieu ou que son trouble lui fait vivre une grande détresse. Ces signes sont très visibles. Pourtant, peu de parents consultent un psychologue ou un psychiatre à cette étape de la maladie où le jeune est déjà très souffrant.

Il est clair que les troubles anxieux sont sous-évalués par les médecins de famille et les pédiatres, souvent parce qu'ils ne sont pas mentionnés par les parents. Il est donc souhaitable que les parents soient particulièrement vigilants, surtout quand il y a déjà un membre de la famille atteint d'un trouble anxieux. Pour pouvoir détecter le trouble, le praticien a besoin d'une description exacte des symptômes. Pour faire le diagnostic, tous les critères sont importants et nécessaires.

Au nombre des critères diagnostiques, la durée du trouble est un facteur très important. Ainsi, on ne parle pas d'un trouble d'anxiété de séparation pour un enfant qui présente une attaque aiguë d'angoisse au moment où ses parents le quittent, mais qui récupère le lendemain. Il faut que le trouble dure au moins quatre semaines pour que l'on s'inquiète sérieusement. Dans le cas où la réaction est limitée dans le temps, on peut parler d'une réaction anxieuse et non d'un trouble anxieux en rapport avec un départ. Si le problème se répète et gagne en fréquence pendant quatre semaines, il est alors recommandé de consulter.

CHAPITRE 2

DESCRIPTION DES DIFFÉRENTS TROUBLES ANXIEUX

Dans le présent chapitre, nous décrirons un à un les critères du *Manuel diagnostique et statistique des troubles mentaux (DSM-IV)* de l'American Psychiatric Association[5] et nous donnerons, en puisant dans des situations d'enfants, un exemple concret pour chacun de ces troubles. Il s'agit de clarifier les termes un peu arides de ce manuel, utilisé par tous les psychiatres comme outil clinique pour définir une maladie avec le plus de précision possible. C'est donc un outil qui permet un consensus autour du problème de l'enfant. Il nous paraît important que les parents connaissent les critères que les spécialistes utilisent pour déterminer si leur enfant est vraiment porteur d'un trouble anxieux plutôt que d'une simple réaction anxieuse dont la portée est bien moindre.

Anxiété de séparation

Il s'agit probablement ici du plus ancien diagnostic de trouble anxieux chez l'enfant. Il est marqué par **une anxiété**

---

5. Pour une description complète des critères diagnostiques, voir : American Psychiatric Association. *Diagnostic and statistical manual of mental disorders*. 4e éd. Washington (D.C.) : APA. Pour la traduction française, voir; *DSM-IV: Manuel diagnostique et statistique des troubles mentaux*. Paris : Masson, 1996.

excessive et inappropriée qu'on retrouve chez l'enfant arrivant à ce stade de son développement où il doit quitter la maison et se séparer des personnes auxquelles il est attaché. Ces personnes sont généralement les parents.

Pour que soit établi un diagnostic d'anxiété de séparation, l'enfant doit manifester trois des huit symptômes suivants.

1) détresse excessive dans les situations où il y a séparation d'avec les personnes auxquelles l'enfant est attaché (appelées principales figures d'attachement), que ces situations soient réelles ou anticipées ;
2) crainte excessive et persistante reliée à la disparition de l'une ou des principales figures d'attachement ;
3) crainte excessive et persistante qu'un événement malheureux ne sépare l'enfant de ses principales figures d'attachement ;
4) réticence persistante ou refus d'aller à l'école à cause de cette peur de la séparation ;
5) réticence excessive à rester seul à la maison ou à aller seul, sans une personne de confiance, dans d'autres environnements ou lieux ;
6) refus d'aller dormir sans être proche de ses principales figures d'attachement ;
7) cauchemars récurrents portant sur des thèmes de séparation ;
8) plaintes somatiques répétées (maux de tête, douleurs abdominales, nausées, vomissements) lors des séparations d'avec les personnes auxquelles l'enfant est attaché

Pour pouvoir donner à cette anxiété de séparation le nom de « trouble anxieux », il faut, comme nous l'avons dit précédemment, que ce trouble **dure depuis au moins quatre semaines** et qu'il entraîne une **détresse** significative ou une **altération du fonctionnement** social et notamment scolaire.

Michaël, 7 ans, est asthmatique. Il manque très souvent l'école, à tel point que son année est fortement compromise. Sa mère dit qu'il est souvent malade et que c'est pour cette raison qu'elle doit le garder à la maison. Or, l'asthme est bien contrôlé et l'enfant n'a fait aucune crise depuis celle qui l'a empêché d'entrer à l'école en même temps que les autres, le tout premier jour. En fait, ce n'est que les matins d'école que l'enfant ressent des malaises, maux de tête, maux de ventre et même vomissements, quand le père fait mine de l'obliger à sortir de son lit.

Michaël dort avec ses parents, car il a peur de rester seul. La mère accepte, craignant qu'il ne se rende malade avec tous les cauchemars « écœurants » qu'il fait la nuit.

Il refuse aussi d'aller seul à l'école et sa mère doit l'accompagner, même si l'école est proche de chez lui et que plusieurs copains lui proposent de se joindre à eux. L'hiver, il justifie son refus par le froid qui lui donne de l'asthme. Au printemps, ce sont les amis qui ne sont pas gentils avec lui et dont sa mère doit le protéger.

On voit ainsi comment un enfant intelligent peut rationaliser — voire banaliser — d'authentiques symptômes d'un trouble anxieux sévère jusqu'à paralyser ses relations avec ses compagnons et nuire grandement à son rendement scolaire. En effet, dans un premier temps, les parents refusent le diagnostic et le traitement, et l'enfant doit reprendre son année scolaire.

Les parents de Michaël vivent la forte résistance de leur enfant à se séparer d'eux comme un véritable signal de détresse et de maladie physique. Il leur est difficile d'admettre que leur enfant présente tous ces symptômes par crainte d'être séparé d'eux. Il arrive que les parents soient très agacés quand ils se rendent compte, lors d'une consultation médicale, que l'enfant a « seulement » peur, bien qu'il soit clair que cette peur est énorme et source de problèmes.

En ce qui concerne Michaël, ce n'est qu'un an plus tard, après que l'école ait souligné ses grandes difficultés d'apprentissage, que les parents et l'enfant accepteront un traitement permettant des séparations sans angoisses excessives et le retour à l'école.

Anxiété généralisée

Ce trouble était appelé auparavant « trouble hyperanxiété de l'enfant ». Il se manifeste de la façon suivante :

1) une anxiété et des inquiétudes ou des soucis excessifs survenant, de façon générale, tous les jours au cours d'une période d'environ six mois à propos de certaines activités, en particulier celles qui sont reliées à l'école ;
2) une difficulté, de la part de l'enfant, à contrôler cette anxiété et à oublier ces soucis ;
3) l'anxiété et les soucis sont associés à au moins trois des six symptômes suivants (chez l'enfant, la présence d'un seul suffit) ;

a) agitation ou sensation d'être survolté ou à bout;
b) fatigabilité;
c) difficulté de concentration ou trous de mémoire;
d) irritabilité;
e) tension musculaire;
f) perturbation du sommeil et, en particulier, difficulté d'endormissement.

4) pour porter un diagnostic d'anxiété généralisée, il faut avoir l'assurance que cette anxiété n'est pas liée à un autre trouble anxieux et qu'elle entraîne une *souffrance significative* ou une altération du fonctionnement social ou scolaire de l'enfant. Cette altération est parfois spectaculaire, comme en témoigne l'histoire de Chloé.

Chloé a 8 ans. C'est une petite fille maigrichonne qui n'a pas l'air bien dans sa peau. Ses parents ont consulté plusieurs pédiatres pour les divers problèmes que vit leur fille: maux de ventre, maux de tête, insomnie, fatigabilité intense. Le matin, elle se lève fatiguée et ses résultats scolaires sont en chute libre. Les examens médicaux ayant tous été négatifs, le pédiatre suggère une consultation en pédopsychiatrie.

Il est difficile de questionner Chloé. De plus, celle-ci est frustrée de s'apercevoir qu'on ne la croit pas quand elle se plaint d'avoir mal. Je lui demande de m'expliquer à quel moment elle a mal. La réponse est claire: c'est toujours avant d'aller à l'école ou avant d'exécuter une tâche quelconque, par exemple avant son cours de ballet. D'ailleurs, elle désire arrêter le ballet.

Elle explique de la façon suivante ce qui l'empêche de dormir :

— Ça tourne sans arrêt dans ma tête, je ne peux l'arrêter, c'est toujours pareil.

— Mais qu'est-ce qui tourne ainsi ?

— C'est l'école, je pense toujours à l'école, je veux être bonne, mais la maîtresse me dispute toujours parce que j'oublie tout. Alors je pense à ce que je pourrais faire demain pour m'améliorer et pour qu'elle ne soit pas fâchée contre moi. Mais ça ne marche jamais. Alors je pense à d'autres façons, mais ça n'arrête jamais et je ne peux pas dormir.

En fait, depuis un an, le frère aîné de Chloé participe à des activités prestigieuses : olympiades scolaires, concerts, etc. Les parents se sont beaucoup occupés des voyages auxquels il doit participer et Chloé s'est sentie incapable de rivaliser avec ce frère admiré. Elle craint intensément de ne plus être en mesure de mériter l'amour de ses parents et, depuis huit mois, elle a développé un trouble anxieux relatif à ses résultats à l'école.

Grâce au travail entrepris avec les parents et avec Chloé, ainsi qu'à une médication anxiolytique donnée pour une courte période afin de restaurer le sommeil de la fillette, Chloé retrouve en quelques mois sa place à l'école et à la maison, et redécouvre la joie de vivre.

Trouble panique sans ou avec agoraphobie

Voici les caractéristiques essentielles du trouble panique sans et avec agoraphobie.

Le **trouble panique sans agoraphobie** comporte des attaques de panique récurrentes et inattendues, telles des crises subites de crainte ou un malaise intense comportant au moins quatre des symptômes suivants :

- palpitations ;
- transpiration ;
- tremblements ;
- sensation d'étouffement ;
- sensation d'étranglement ;
- douleur thoracique ;
- nausée ;
- vertige ;
- déréalisation ;
- peur de perdre le contrôle ;
- peur de mourir ;
- paresthésies ;
- frissons.

De plus, au moins une des crises doit s'accompagner, **pendant au moins un mois**, d'un ou des symptômes suivants :

- crainte persistante d'avoir d'autres attaques de panique ;
- crainte des conséquences d'une crise ; par exemple, peur de perdre le contrôle, d'avoir une crise cardiaque ou de devenir fou ;
- changement de comportement en relation avec les crises : par exemple, refuser une sortie parce que la personne

suppose qu'elle devra prendre le métro (endroit où a eu lieu la dernière crise).

Les crises ne doivent pas être dues à une affection médicale, à la prise de drogue ou à un autre trouble anxieux comme un état de stress post-traumatique. D'autre part, ces crises peuvent être très dramatiques, mimant toutes sortes d'affections médicales (crise cardiaque, asthme), et le relâchement sphinctérien peut faire croire à une crise d'épilepsie.

Totalement ignoré pendant longtemps — et même nié chez les jeunes enfants incapables d'exprimer leur peur de la mort ou de perte de contrôle — ce trouble a été progressivement reconnu à la suite de témoignages faits par des adultes qui en souffraient. Ces gens admettaient avoir eu leur première crise entre 9 et 11 ans. Par la suite, on a découvert que les patients ayant des troubles respiratoires chroniques avaient de sept à huit fois plus de chances que les autres enfants de faire des crises de panique, et cela nous a incité à faire un examen systématique des enfants asthmatiques chroniques fréquentant la clinique d'asthme de l'Hôpital Sainte-Justine, à l'aide d'outils diagnostiques précis. Cette recherche a permis de reconnaître un grand nombre de troubles paniques chez ces jeunes patients.

Ludovic n'a que 7 ans lorsqu'on pose à son sujet le diagnostic de trouble panique. Depuis plusieurs années, ses parents se plaignent de ses crises nocturnes qu'ils appellent «asthme», faute de mieux. Ils doivent le prendre dans leur lit, car l'enfant est souvent en proie à la terreur. Il a également des crises au cours desquelles ses yeux deviennent fixes et son visage se tord pendant qu'il fait des mouvements compliqués. L'enfant sort avec difficulté de cet état où il paraît complètement absent et où ses seules verbalisations concernent un géant qui le menace. Quand on insiste pour savoir s'il a vu le géant, il répond: «Je sais qu'il est derrière moi et qu'il va me prendre.»

Néanmoins, sur la base d'un électroencéphalogramme anormal, on le met aux antiépileptiques. Ludovic ne peut se détacher de sa mère à qui il s'agrippe malgré ses 7 ans. Il ne va à l'école que très rarement. Après avoir constaté, à l'hôpital, que Ludovic souffre de crises de panique en plus de son asthme, on entame un processus thérapeutique qui lui permet de s'ouvrir. Il est en mesure de dire qu'il ne veut pas aller à l'école parce qu'il craint que le géant l'attrape. Même chose pour justifier le fait de dormir avec ses parents: ils vont le protéger contre le géant. C'est aussi pour cette raison qu'il s'accroche toujours à sa mère.

Après quelques mois de thérapie, il admet qu'il a peur de mourir, ce qui constitue le trait essentiel du trouble panique. Ainsi, ce qui a empêché le diagnostic, c'est l'immaturité du jeune garçon qui traduisait en termes très concrets, à savoir l'attaque du géant, sa peur de mourir et de subir quelque chose de terrible. En quelques mois, un traitement médicamenteux anxiolytique met fin aux crises d'allure asthmatique avec hyperventilation, tachycardie et transpiration intense.

Le **trouble panique avec agoraphobie** a comme particularité de présenter à la fois des crises de panique, telles que nous venons de les décrire, et une agoraphobie. L'agoraphobie est la crainte de se retrouver dans des endroits d'où il serait difficile de s'échapper ou dans lesquels on pourrait ne trouver aucun secours en cas de crise de panique ; en général, cela se produit dans une foule, dans une file d'attente, dans un autobus ou un métro.

Les gens qui souffrent de ce trouble panique avec agoraphobie évitent les situations suscitant les crises ou ils les subissent avec une souffrance intense ou avec la crainte d'avoir une crise de panique. Ils ont le plus souvent besoin d'être accompagnés pour affronter ces situations.

En général, ceux et celles qui craignent de faire une nouvelle crise de panique évitent systématiquement ce genre de situation d'où il est difficile de s'échapper. Ils en viennent à rétrécir de plus en plus leur univers. C'est particulièrement le cas de l'adolescent agoraphobe dont le champ d'action devient de plus en plus étroit et qui se cantonne chez lui au moment même où ses compagnons élargissent sans cesse le leur.

Diane, 17 ans, n'aime pas beaucoup l'école et il lui faut toujours une amie avec elle. Elle est amusante, amicale, et tout le monde l'aime. Elle décide d'aller travailler dans une boutique. Au bout d'un certain temps, la gérante lui fait confiance et la laisse souvent seule, ce qui ne fait pas son affaire car elle trouve cela « mort ». Un matin, dans le métro qui la conduit au travail, elle fait une grosse crise de panique ; elle étouffe, elle veut sortir et elle souille son pantalon par relâchement sphinctérien. Elle doit donc retourner chez elle pour se changer et, de là, elle téléphone à son employeur pour s'excuser.

Par la suite, Diane n'arrive plus à prendre le métro et elle veut cesser de travailler. Son père s'y oppose, mais elle obtient qu'il l'accompagne au travail chaque matin. Cependant, les crises d'angoisse se poursuivent et la crainte de se retrouver à nouveau dans une position humiliante s'amplifie, ce qui incite Diane à consulter. Elle n'est plus capable d'aller seule nulle part. En six mois, elle répond favorablement au traitement et elle arrive à reprendre ses activités en bénéficiant du soutien d'un groupe d'entraide.

Agoraphobie

Il existe aussi une agoraphobie isolée, sans antécédent de trouble panique. C'est une maladie qui a tendance à évoluer vers un isolement progressif et vers un confinement à la maison.

Phobie simple ou spécifique

La phobie simple est une peur persistante, à caractère irraisonné ou excessive, déclenchée par la présence d'un objet ou d'une situation spécifique, par exemple de prendre l'avion, de se retrouver dans les hauteurs, d'être en présence de certains animaux (araignées, souris, etc.), de recevoir une injection ou de voir du sang. L'anticipation de ce qui est redouté (par exemple, penser à l'injection à recevoir demain) déclenche autant de peur que l'exposition directe à la situation ou à l'objet.

Pour que l'on puisse parler de phobie, il faut que l'exposition à l'objet ou à la situation provoque de façon systématique une réaction anxieuse. Cela peut prendre la forme d'une crise de panique qui s'exprime le plus souvent chez l'enfant par des pleurs, par des excès de colère, par des réactions de figement ou d'agrippement.

L'adulte ou l'adolescent reconnaît souvent le caractère irrationnel ou excessif de sa peur. Mais chez l'enfant, ce n'est pas toujours le cas.

La personne qui souffre de phobie simple cherche à éviter les situations qui font peur, situations dites phobogènes, ou, si ce n'est pas possible, les vit avec une détresse intense.

L'évitement, l'anticipation anxieuse et la souffrance vécue dans les situations redoutées perturbent énormément les habitudes de l'enfant ou de l'adolescent, c'est-à-dire les activités scolaires et sociales, et même les relations avec les autres. Chez les jeunes de moins de 18 ans, le diagnostic requiert que les symptômes durent depuis au moins six mois.

Il va sans dire qu'une petite peur, celle des araignées par exemple, ne peut être vraiment considérée comme une phobie. Par contre, si un enfant refuse d'aller en classe parce qu'il a vu des « bibittes », s'il refuse de sortir parce qu'il a peur d'en voir, si les promesses et les menaces n'y font rien, si l'enfant est en nage et se cramponne à ses parents en hurlant, alors il s'agit bien d'une vraie phobie. Un autre exemple classique est celui du dentiste. Si l'enfant hurle et entre en transe chez le dentiste, il faut traiter la phobie avant de traiter les caries.

Phobie sociale ou trouble d'anxiété sociale

La phobie sociale consiste en une peur persistante et intense d'une ou de plusieurs situations sociales ou de performance qui peuvent exposer la personne à l'observation attentive d'autrui. Celle-ci craint que ses actions la mettent dans une situation embarrassante ou humiliante. Par ailleurs, les enfants que ce trouble affecte ont des relations normales avec des amis et des proches.

Il faut un autre critère pour poser un diagnostic de phobie sociale. La situation sociale redoutée doit provoquer chaque fois la même anxiété, qui peut prendre la forme d'une crise de panique. Les situations sociales ou de performance provoquent une détresse intense et sont évitées, mais cet évitement perturbe profondément les activités de l'individu, notamment les activités scolaires de l'enfant. Enfin, pour poser un tel diagnostic chez un sujet de moins de 18 ans, il faut que les symptômes durent depuis au moins six mois.

L'adolescent reconnaît le caractère irrationnel de sa peur, ce qui n'est pas toujours le cas chez l'enfant.

L'exemple classique de phobie sociale est celui de l'enfant ou de l'adolescent qui refuse systématiquement de réciter devant ses camarades. Si l'enseignant insiste, le malaise augmente : l'enfant rougit, transpire, sa vue s'embrouille et il lui arrive de devoir sortir de la classe pour vomir. Si cette situation se présente à nouveau, les symptômes empirent, car le jeune se remémore la situation précédente et craint de ressentir la même humiliation. Dans ce cas, il faut que les professeurs adoptent rapidement des mesures afin de « décontaminer » la situation et d'éviter un refus scolaire.

Il existe d'autres formes plus subtiles de phobie sociale. C'est le cas, par exemple, de l'enfant qui ramène systématiquement son « lunch » à la maison, prétextant soit qu'il n'a pas faim, soit qu'il n'a pas le temps de manger à l'école, ou encore qu'il aime tellement mieux manger à la maison. En fait, il s'agit d'une phobie : l'enfant a peur qu'on le regarde pendant qu'il mange. Bien des parents se laissent prendre à ces arguments et le problème dure jusqu'à l'âge adulte.

La peur d'uriner devant les autres constitue une autre manifestation de phobie sociale. L'enfant se retient, au point d'en avoir mal au ventre ; cela provoque parfois des accidents qu'il a tendance à justifier par la sévérité de l'enseignant ou le manque de temps.

On voit se profiler ici une des constantes des troubles anxieux : les jeunes ont tendance à éviter systématiquement de parler de leur peur, même avec un être cher. Ils préfèrent trouver toutes sortes d'excuses à leur comportement, ce qui empêche les parents de reconnaître cette angoisse et d'apporter à l'enfant l'aide nécessaire.

Il est à noter que dans la forme dite généralisée de la phobie sociale, le jeune a peur de toutes les situations sociales et qu'il a tendance à les éviter, ce qui rend le trouble plus manifeste et plus contraignant pour ceux qui l'entourent.

Trouble obsessionnel-compulsif

Comme son nom l'indique, le trouble obsessionnel-compulsif (TOC) est une maladie caractérisée par la présence d'obsessions ou de compulsions.

Qu'est-ce qu'une obsession ? C'est une pensée, une impulsion ou une représentation **récurrente** et **persistante**, c'est-à-dire qui revient de façon régulière et qui entraîne de l'anxiété ou une grande détresse.

Claudia, 9 ans, est harcelée, surtout au moment du coucher, par une image d'elle en train de tuer sa mère d'un coup de couteau. Bien entendu, ces pensées sont excessives par rapport à la vie réelle ; dans la vie de tous les jours, elle dit aimer sa mère. Elle fait des efforts pour réprimer ces pensées et les remplacer par d'autres idées ou par des actions.

Claudia reconnaît que ces pensées obsédantes viennent de sa propre activité mentale et ne sont pas imposées par un démon quelconque. Cela est tout à fait clair dans son cas et elle affirme: « Je l'aime, ma mère, je ne veux pas lui faire de mal. Pourquoi ces idées de folle ? » Et l'enfant, effrayée, insiste pour que sa mère dorme avec elle.

En plus des obsessions, ce trouble peut également comprendre des compulsions. Les compulsions sont des comportements répétitifs (par exemple, se laver plusieurs fois les mains, compter et recompter sans cesse, vérifier et revérifier encore) ou des actes mentaux à répétition (prier, compter, répéter des mots en silence, etc.). Ces actes doivent obligatoirement être accomplis en réponse à une obsession et selon des règles fixes.

Ces comportements et ces actes mentaux sont destinés à neutraliser ou à diminuer le sentiment de détresse engendré par les obsessions. Ou encore, ils visent à empêcher un situation redoutée.

Claudia, quelques semaines après avoir commencé à être obsédée par l'idée du coup de couteau, se met à inspecter la maison pour vérifier si tout est bien fermé. Puis elle fait le tour de sa chambre chaque soir et regarde le dessous de son lit avant d'aller se coucher. Bien que ce comportement reste incompréhensible pour ses parents, Claudia peut assez rapidement livrer son secret: elle craint que quelqu'un ne soit caché sous son lit et n'exécute sa mère à sa place.

Claudia a également une autre compulsion pénible: avant de s'endormir, elle doit réciter un certain nombre de prières afin que rien n'arrive à sa mère; mais elle oublie régulièrement où elle en est dans ses prières et elle doit tout recommencer depuis le début.

De son côté, Catherine, un autre exemple de trouble obsessif-compulsif, développe de façon progressive un besoin intense de se laver les mains (de 10 à 12 fois par jour au début puis, d'après la mère, jusqu'à 40 fois par jour). En même temps, elle développe la crainte d'être contaminée, notamment par sa mère. Ainsi, elle ne veut pas que sa mère touche à l'ordinateur et, lorsque cela se produit, elle exécute de longs rituels pour le purifier. Elle met aussi des gants pour tourner les poignées de porte que sa mère a contaminées en les touchant. À table, elle interdit à sa mère de toucher à son couvert sous peine de lui faire subir une crise terrible. Elle mange à peine, en raison des nombreuses vérifications nécessaires. S'habiller devient un cauchemar, les vêtements faisant aussi l'objet de longues et minutieuses inspections; ce qui a notamment comme conséquence qu'elle arrive souvent en retard à l'école. Son caractère change aussi et l'enfant enjouée que ses parents adulaient devient irritable; elle va même en plusieurs occasions jusqu'à frapper sa mère qui s'oppose à ses rituels.

Chez Catherine, qui a 11 ans tout comme Claudia, ce sont les compulsions qui priment, même si on peut aussi parler d'une obsession de la contamination. Elle est peu sensible au sens de ses rituels, même si ces rituels sont en lien avec sa mère puisque c'est surtout par elle que vient la « contamination ». Elle semble souffrante, surtout quand on l'empêche d'exécuter ses rituels, alors que Claudia, dont la mère a consulté très rapidement, est terriblement souffrante à cause de son obsession de tuer sa mère, ce qui lui vient comme une pensée imposée, incontrôlable et allant à l'encontre de ses sentiments réels. On voit aussi que toutes les compulsions de Claudia réagissent à cette obsession et que l'enfant est consciente de leur sens.

La détresse génère des rituels qui se traduisent par des pertes de temps considérables pouvant aller jusqu'à plus d'une heure par jour. Les interférences avec les activités habituelles, notamment les activités scolaires, sont tellement marquées que l'on peut s'étonner que tous les cas ne soient pas rapportés systématiquement au psychiatre. Pourtant les chiffres sont là : lors de dépistages systématiques, les chercheurs s'entendent pour une prévalence de 2,8 à 3 pour 100 chez les adolescents dont aucun n'a consulté. Ce n'est donc pas une condition rare, comme on l'a déjà prétendu. Pourtant, seul un faible pourcentage consulte. La plupart de ces jeunes vivent dans le cocon familial et gardent résolument leur secret jusqu'à ce que la vie devienne impossible.

Trouble de stress post-traumatique

Comme son nom l'indique, le trouble de stress post-traumatique survient après qu'une personne ait été exposée à un événement traumatique comprenant les deux composantes suivantes :

- Le sujet a vécu ou a fait face à un événement durant lequel un ou des individus sont morts, ont été très gravement blessés ou menacés de mort; cela peut inclure également le sujet lui-même qui a été menacé dans son intégrité physique.
- Sa réaction à l'événement s'est traduite par une peur intense, par un sentiment d'impuissance ou par un sentiment d'horreur.

Chez les enfants, on constate un comportement désorganisé ou agité.

Julie arrive à l'hôpital sévèrement brûlée : une explosion provoquée par un échappement de gaz a détruit la maison de ses parents. Son jeune frère est décédé dans l'accident ainsi qu'un autre membre de sa famille. L'explosion a fait tomber la porte d'entrée sur elle, au moment où elle tentait de se sauver. Elle s'est d'abord crue morte, étouffée sous les cendres et la poussière, puis elle s'est sentie dans un état second, ne comprenant pas pourquoi personne ne venait à son secours. Alors elle s'est levée, a traversé la rue et sonné chez un voisin. Elle était nue. Elle ne se rendait pas compte que ses vêtements avaient été soufflés par l'explosion.

À l'hôpital, Julie est dans un état d'agitation extrême. Elle parle et bouge sans arrêt. Elle demande aussi qu'on change son lit de place. On croit d'abord à un état de confusion provoqué par la brûlure et la déshydratation, mais son état physique s'améliore graduellement sans que son agitation diminue. Les parents assurent pourtant que leur fille est d'ordinaire extrêmement posée et raisonnable.

Quand nous la revoyons six mois plus tard, Julie présente tous les signes d'un trouble de stress post-traumatique, confirmant ainsi que son hyperactivité témoignait bien d'un état de choc aigu, survenu avant que le trouble de stress post-traumatique ne s'établisse.

Les signes d'un trouble de stress post-traumatique sont les suivants :

- des souvenirs répétitifs ou envahissants de l'événement traumatique, avec des images, des pensées ou des perceptions provoquant un sentiment de détresse. On note que, chez l'enfant, ce sont des jeux répétitifs qui expriment le plus souvent ces pensées obsédantes ;
- des rêves répétitifs de l'événement, amenant un sentiment de détresse ;
- l'impression soudaine que l'événement va se reproduire, ou des agissements soudains « comme si » l'événement allait se répéter de façon imminente. L'enfant peut aussi reconstituer brusquement cet événement dans sa tête ;
- un sentiment intense de détresse psychique lorsque la personne est exposée à des éléments qui évoquent l'événement ou qui lui ressemblent ;
- une réactivité physiologique (rougir, pâlir, transpirer, sentir son cœur battre vite) lors de l'exposition à des éléments extérieurs qui évoquent ou ressemblent à un aspect du traumatisme.

Après l'accident, Julie fait des crises de panique qui évoquent une très grande réactivité physiologique à des indices variés : les becs bunsen (qui contiennent du gaz), les couchers de soleil (ils sont de couleur rouge et embrasent le ciel comme l'explosion), etc. À chaque fois, la situation se rétablit quand elle décode l'élément qui a provoqué la panique, mais devant la fréquence de ces incidents, il devient difficile pour Julie de rester au collège. En conformité avec les critères diagnostiques de ce trouble, Julie présente aussi un évitement persistant des stimuli associés au traumatisme et un émoussement de la réactivité générale, comme en témoignent les manifestations suivantes :

- des efforts pour éviter les pensées, les sentiments ou les conversations associées au traumatisme ;
- des efforts pour éviter les activités, les endroits ou les gens qui éveillent des souvenirs traumatiques ;
- une incapacité de se rappeler un aspect important du traumatisme ;
- un net désintérêt pour certaines activités et une réduction de la participation à ces mêmes activités ;
- un sentiment de détachement d'autrui (sentiment de devenir étranger aux autres) ;
- une restriction des affects, par exemple l'incapacité d'éprouver des sentiments tendres ;
- le sentiment d'un avenir bouché (ne pas pouvoir faire carrière, se marier, avoir des enfants, etc.).

Bien que seulement trois de ces signes soient nécessaires au diagnostic, Julie les présente tous. Elle qui était auparavant une élève brillante, elle manque l'école et a maintenant des symptômes permanents d'activation neurovégétative :

- difficultés d'endormissement ou sommeil interrompu ;
- irritabilité ou accès de colère ;
- difficultés de concentration ;
- hypervigilance ;
- réaction de sursaut exagéré.

Deux de ces symptômes doivent être présents pour porter un diagnostic de trouble de stress post-traumatique et deux autres critères sont également nécessaires :

- la perturbation doit durer depuis plus d'un mois ;
- elle doit entraîner une souffrance cliniquement significative ou une altération du fonctionnement social (amis, école ou autres domaines importants).

Trouble de stress aigu

Les critères du trouble de stress aigu ressemblent à ceux du trouble de stress post-traumatique. Ce sont :

a) Une exposition du sujet à un événement traumatique dans lequel deux éléments sont présents :

   – le sujet a vécu ou a fait face à un événement au cours duquel des personnes sont mortes, ont été gravement blessées, ou menacées de mort ; ou il a connu un événement au cours duquel son intégrité physique ou celle d'autrui a été menacée ;

- sa réaction s'est traduite par une peur intense et un sentiment d'impuissance ou d'horreur qui peut être remplacé chez l'enfant par un comportement désorganisé ou agité.

Il faut se montrer soucieux du détail dans les descriptions de l'événement afin d'éviter que des traumatismes de moindre importance soient tout de même inclus dans cette catégorie de trouble.

b) La personne, au cours de l'événement, a présenté au moins trois des symptômes suivants :

  - un sentiment de torpeur, de détachement ou une absence de réactivité émotionnelle ;
  - une réduction de la conscience de son environnement (sentiment d'être dans le brouillard) ;
  - une impression de déréalisation (le jeune décrit ce sentiment de déréalisation de la manière suivante : « Je ne comprenais pas ce que disaient les gens autour de moi et pourquoi ils s'agitaient », « C'est comme si j'étais étouffé par de la ouate, je flottais comme dans un rêve ») ;
  - une impression de dépersonnalisation (l'enfant vit des expériences où il se sent détaché de son corps et où il a même l'impression de se dédoubler, avec le sentiment qu'une moitié de lui regarde l'autre moitié ; cette impression s'impose à l'esprit de l'enfant, provoquant parfois la peur de devenir fou) ;
  - une amnésie dissociative (par exemple, l'incapacité de se souvenir d'un aspect important du traumatisme).

c) L'événement traumatique est revécu sans cesse de l'une des façons suivantes : images, pensées, rêves, illusions, flash-back récurrents, sentiment de revivre l'expérience ou souffrance lors de l'exposition à ce qui peut rappeler l'événement.

d) Il y a un évitement systématique et persistant des stimuli qui réveillent le souvenir du traumatisme.

e) La présence persistante de symptômes anxieux ou les manifestations d'une activité neurovégétative (difficultés du sommeil, irritabilité, etc.).

f) La perturbation entraîne une détresse significative ou une altération du fonctionnement.

g) La perturbation dure au minimum deux jours et survient dans un *maximum de quatre semaines* après l'événement traumatique.

h) L'affection n'est pas provoquée par les effets d'une substance ou par un problème d'ordre médical.

On voit que cette condition, malgré son intensité immédiate, est beaucoup plus limitée dans le temps que celle qui est liée au stress post-traumatique. Par conséquent, elle est plus bénigne et moins destructrice pour le fonctionnement de l'enfant.

Patrick, 7 ans, a été impliqué dans un accident d'automobile où ses deux parents et son frère aîné ont péri. Il commence quelques jours après l'accident à présenter un comportement étrange. Il parle tout seul, refuse de sortir de la maison et, selon sa grand-mère qui prend soin de lui, il a l'air de «ne pas être là». Il a beaucoup de difficulté à dormir, il est souvent réveillé par d'affreux cauchemars. Les choses rentrent dans l'ordre en quelques semaines, quand Patrick arrive à reconstituer la scène de l'accident. Un opérateur d'excavatrice a incidemment actionné sa pelle, qui est venue littéralement s'encastrer dans l'auto, tuant du même coup son père, sa mère et son frère. L'enfant, qui portait sa ceinture de sécurité, a été le témoin muet du drame et a attendu très longtemps les secours.

Patrick est rapidement revenu à un fonctionnement plus normal après avoir fait cette reconstitution du drame et reconnu sa culpabilité de survivant.

Le premier critère mentionné plus haut (l'exposition du sujet à un événement traumatique) se retrouve dans cette illustration clinique : l'enfant a fait face à la mort de ses proches et, tandis qu'il était coincé dans l'automobile, sa réaction a été un état de peur intense et d'impuissance. Patrick répond également au deuxième critère : après l'événement, il a manifesté une sorte de torpeur (s'isolant et ne voulant plus jouer), de dépersonnalisation (ne se sentant plus lui-même) et il a présenté une amnésie dissociative (ne pouvant se rappeler ce qui s'était passé dans l'auto).

Il présente également des signes correspondant aux autres critères de ce trouble :

- Il revit sans cesse l'événement durant le jour (bien que de façon partielle) et, la nuit, il est assailli par des cauchemars ayant trait à l'accident.
- Il évite les stimuli évoquant l'accident, refusant de monter à bord d'une voiture et d'aller sur la tombe de ses parents ou de regarder leur photo.

- Il présente également des troubles neurovégétatifs (troubles du sommeil, irritabilité, réaction de sursaut exagérée).
- La détresse de ce garçon fait peine à voir.
- Enfin, la perturbation ne dure que depuis une semaine et a commencé immédiatement après son séjour à l'hôpital où il avait été placé sous observation.

En résumé la détection de chaque critère correspondant au diagnostic selon le DSM-IV et la vérification que tous les critères requis pour le diagnostic sont présents définissent bien la démarche diagnostique que nous avons illustrée dans le chapitre. Seule cette démarche nous assure un diagnostic rigoureux plus convaincant et précis pour les parents.

Chapitre 3

Les causes

D'où origine un trouble anxieux ? Voilà une question qu'on se pose nécessairement lorsqu'on voit les changements marquants que subissent les jeunes présentant un trouble anxieux. La réponse à cette question est encore plus pressante quand on constate l'énorme souffrance que cela engendre et à quel point le jeune est prisonnier de son angoisse, n'en parlant que rarement, même à ses proches.

Une des trois réponses que donnent les chercheurs est celle de l'hérédité. Particulièrement en ce qui concerne le trouble panique et le trouble d'anxiété généralisée, un facteur héréditaire ressort clairement des études, notamment celles qui ont été faites sur des jumeaux. Il existe également une tendance héréditaire à la phobie sociale.

Une recherche démontre que 44 pour 100 des traits obsessionnels seraient hérités, de même que 47 pour 100 des symptômes obsessionnels[6]. Si l'on considère la maladie obsessive compulsive complète, les auteurs de cette recherche ont découvert 15,9 pour 100 de troubles obsessifs compulsifs

---

6. Clifford CA, Murray RM, Fulker DW. *Genetic and environmental influences on obsessional traits and symptoms*. Psychological Medicine 1984; 14(4): 791-800.

chez les parents d'enfants souffrant de ce trouble. On peut en déduire que l'hérédité joue ici un rôle non négligeable. La pratique quotidienne en pédopsychiatrie confirme ce facteur héréditaire dans les troubles anxieux. On retrouve souvent soit un parent, soit un grand-parent ou un oncle porteur du même trouble que celui de l'enfant qui consulte.

Par ailleurs, certains traits de tempérament observables dès la naissance prédisposeraient au développement d'un trouble anxieux. Dans une étude très récente[7], on fait part de l'observation de sujets de la naissance à l'adolescence et on démontre très clairement que les bébés qui avaient été classés dans le groupe « inhibé » (contrairement au groupe « désinhibé ») deviennent en majorité des adolescents présentant des symptômes de phobie sociale.

Il est possible que ce trait de comportement (« inhibé ») soit également lié à une plus grande vulnérabilité au syndrome de stress post-traumatique. En cas d'événements très effrayants, comme une attaque armée dans une école, un chercheur rapporte qu'au nombre des enfants les plus anxieux un mois après l'événement, 38 pour 100 étaient reconnus avant l'événement pour avoir une personnalité inhibée[8].

L'hérédité n'explique quand même pas tout et il faut y ajouter un facteur d'apprentissage. Dans les familles où la crainte règne en maître et où toute chose semble dangereuse, l'enfant *apprend à avoir peur* et cela diminue ses compétences et sa capacité de faire face à l'adversité. C'est une forme de « modeling ». Cela confirme les peurs des parents et augmente chez

---

7. KAGAN J, SNIDMAN N. *Early childhood predictors of adult anxiety disorders.* Review. Biological Psychiatry 1999; 46(11): 1536-1541.

8. PYNOOS RS, FREDERICK C, NADER K, ARROYO W, STEINBERG A, ETH S, NUNEZ F, FAIRBANKS L. *Life threat and posttraumatic stress in school-age children.* Archives of General Psychiatry. 1987; 44(12): 1057-1063.

l'enfant le besoin d'être protégé et de rétrécir son univers. Surprotégé, il n'apprend pas à se débrouiller seul et cela augmente son sentiment de fragilité et donc ses peurs. N'est-ce pas en développant ses compétences que «le petit d'Homme» acquiert le sentiment de sa valeur propre, en dehors de la tutelle des parents?

Lorsque des parents ont de jeunes enfants, leur rôle ne consiste pas à enlever tous les cailloux qui se présentent sur leur chemin, mais plutôt à montrer à leurs enfants à lever les pieds et à se relever chaque fois qu'ils tombent. On comprend aussi qu'il y ait plus d'enfants anxieux dans les familles où la mère est déprimée: comment stimuler un enfant et le pousser à aller de l'avant quand, pour soi-même, tout est dangereux, mauvais ou sans intérêt? L'enfant apprend de ses parents; notre façon de vivre leur parle de notre façon d'être au monde.

Néanmoins, il faut certainement plus qu'une réaction à la détresse d'un parent pour développer un trouble anxieux. Des facteurs héréditaires, le type de personnalité, la pression du milieu scolaire et, parfois, une maladie invalidante se conjuguent le plus souvent pour faire éclore le trouble anxieux.

L'évitement est un facteur qui aggrave les troubles anxieux et qui est d'ordre strictement comportemental; l'enfant l'apprend souvent des parents. Tous les exemples donnés jusqu'ici ont fait état de cette défense d'évitement des choses qui font peur:

- Chloé veut arrêter le ballet par peur de n'être pas assez bonne;
- Julie ne veut plus aller à ses cours de chimie où les becs bunsen lui rappelle le terrible accident au cours duquel son frère a péri;
- Ludovic ne veut plus aller au lit car il a peur de rencontrer le géant qui lui donne des crises de panique;

- L'enfant qui souffre d'une phobie sociale se trouve un prétexte pour manger à la maison, évitant ainsi le regard embarrassant des autres.

Or, plus on évite et plus on se sent incompétent et sans défense, et plus la peur augmente. Prenons l'exemple d'un jeune perché sur un tremplin pour plonger dans la piscine et qui recule à son premier essai, puis à son deuxième : il y a de fortes chances que ce jeune ne réussisse jamais à plonger s'il n'est pas encouragé adéquatement. Nous reviendrons sur cette question de l'évitement quand il sera question de traitement. Apprendre à l'enfant d'autres tactiques que celle de l'évitement est l'un des fondements de la thérapie behaviorale-cognitive dont nous parlerons ultérieurement.

Il faut dire que, dans bien des cas de trouble anxieux, le *déclencheur* a été un événement stressant pour l'enfant (moquerie d'un camarade...) ou, pour un adolescent, une situation où il a perdu la face. C'est ce qu'on retrouve fréquemment dans le cas des phobies sociales : une bousculade où l'enfant s'est senti perdu, une remarque sévère d'un professeur dans le cas d'une anxiété de séparation... Cela peut être un conflit intrafamilial dans le cas d'un trouble obsessif-compulsif. C'est la répétition de ce stress particulièrement éprouvant que l'enfant ou l'adolescent cherche à éviter à tout prix, au détriment de son épanouissement.

Dans ce livre, nous avons mentionné que les enfants porteurs d'une maladie chronique risquaient plus de développer une maladie anxieuse. Nous avons aussi parlé de la fréquence des troubles de stress post-traumatique chez les grands brûlés. Or, il existe aussi un phénomène courant qui mérite d'être abordé : il s'agit des troubles paniques que l'on observe chez des jeunes de tous âges quand ils sont atteints de malformations multiples nécessitant plusieurs opérations.

Chez eux, c'est le traitement qui prend l'allure d'objet phobogène. L'anesthésie, en particulier, cristallise souvent toutes les autres peurs, comme celle d'être rejeté par son entourage à cause de la malformation, ou encore de voir échouer la prochaine intervention et de devoir vivre ainsi à l'âge adulte.

Cette peur de l'anesthésie s'amalgame à la peur de perdre le contrôle ou de ne pas se réveiller, et elle soulève des accès de panique. Quand ces accès de panique se répètent, on commence à parler d'un trouble panique avec démarrage de crises (on disait autrefois «crises d'angoisse»). Ces enfants sont si sérieusement handicapés qu'il est parfois difficile pour l'entourage, y compris pour le médecin traitant, de voir là un phénomène anormal. Tout le monde pense qu'il est compréhensible de réagir ainsi en vieillissant, puisque l'on devient plus conscient de son état. Mais en fait, il s'agit d'une pathologie supplémentaire dont souffre le jeune et qui vient alourdir le poids de sa maladie. À l'opposé, quand on pense à la possibilité d'un trouble anxieux, il faut s'assurer auprès du jeune qu'il s'agit bien de ce diagnostic. Si tel est le cas, on peut alors commencer un traitement.

De la même façon, beaucoup d'enfants hospitalisés aux soins intensifs développent un trouble de stress aigu qui mérite un traitement anxiolytique. Ce traitement permet souvent à l'enfant de se laisser soigner avec plus de confiance, et cette attitude favorise de meilleurs soins. Du coup, l'enfant risque de récupérer plus rapidement. Parfois, ce qui déclenche la crise chez l'enfant, c'est d'en voir un autre dans les corridors de l'hôpital, couvert de bandages et de tubes, et qui hurle de terreur. L'esprit immature de l'enfant peut mal interpréter ces images. Au moment où il est le plus vulnérable, il assiste impuissant à une scène d'horreur dont il croit qu'il sera peut-être la prochaine victime.

Le cas le plus fréquent est celui des asthmatiques. Depuis très longtemps, on sait que les asthmatiques vivent des problèmes d'anxiété. Qu'ils craignent fréquemment les sports de contact et qu'ils peuvent même déclencher des crises d'asthme quand ils deviennent trop anxieux, par exemple juste avant un examen. Ce qu'on a longtemps ignoré cependant, c'est que les asthmatiques ont plus de troubles anxieux que la moyenne de la population. Des psychiatres comme Wamboldt, travaillant dans un très gros centre hospitalier spécialisé dans les maladies respiratoires chroniques, ont démontré qu'environ la moitié des adolescents asthmatiques hospitalisés dans ce centre avaient également un ou même plusieurs troubles anxieux. On voit l'importance énorme de ces troubles anxieux qui créent souvent une distorsion dans la perception qu'a l'adolescent de ses crises d'asthme. À chaque crise, il revoit l'issue tant redoutée : l'asphyxie et la mort.

Dans ces conditions, il ne faut pas s'étonner de voir que l'asthme résiste à tout traitement, ce qui confirme encore le jeune dans sa lugubre prophétie. Dans beaucoup de ces cas, le traitement du trouble anxieux rétablit un certain équilibre, ce qui permet au jeune de voir sa vie de façon plus réaliste et ce qui redonne aux traitements le pouvoir de guérir ou de soulager l'asthme.

Pour expliquer cette grande proportion de troubles anxieux chez les asthmatiques, on admet que la crise d'asthme elle-même, par son caractère dramatique aux yeux de l'entourage et par la sensation d'étouffement qu'elle provoque à répétition chez l'enfant, peut progressivement causer un état de décharge permanente dans les centres du cerveau qui gèrent les émotions et installer ainsi un état chronique d'excitation de ces centres ; cela favoriserait la constitution d'un trouble anxieux.

Chapitre 4

Le traitement

Pourquoi traiter les troubles anxieux ? Tout simplement parce que l'enfant a mal et que toute douleur appelle un soulagement.

Personne n'enverrait à l'école un enfant qui a les deux bras à vif. Pourtant, quand il s'agit de douleur morale, l'ENFANT AUSSI EST À VIF... MAIS CELA NE SE VOIT PAS. Devant un jeune garçon qui refuse d'aller à l'école ou à sa partie de hockey, on voit souvent des parents insister et le traiter de paresseux alors qu'il montre tous les signes de la peur (rougeur, transpiration, yeux exorbités, cris...).

À ce stade, il est inutile de raisonner l'enfant et le mieux est de rentrer à la maison et de chercher à bien connaître la situation pour éviter que les choses ne se reproduisent quand l'enfant sera de nouveau exposé à la même situation. Car s'il persévère dans son refus, le résultat pour l'enfant est toujours pénible : s'il s'agit du hockey, il sera expulsé du club et perdra ses amis, et s'il s'agit de l'école, il accumulera un très grand retard et doublera parfois son année.

Toutes ces conséquences sont sérieuses. Il faut un traitement énergique pour éviter de plus grands dommages, pour réintégrer l'enfant dans son milieu, c'est-à-dire avec les enfants de son âge, et pour lui redonner le pouvoir de participer à des activités normales. Mais par quoi commencer ?

Si l'enfant est dans un état de désorganisation intense, il est incapable d'écouter le moindre raisonnement venant de ses parents ou de quiconque. Dans ces cas extrêmes, une médication adaptée à l'âge de l'enfant est souvent un pré-requis pour gagner sa confiance et lui montrer qu'on peut agir sur sa douleur et sur sa peur, et, du coup, le rendre plus coopérant dans les autres étapes du traitement qui visent à lui faire retrouver ses capacités perdues. Cela recouvre une réalité très complexe : il faut amener l'enfant à vouloir changer. Or l'enfant ne désire pas toujours retourner à la situation qui génère ses craintes.

L'aide des parents est alors essentielle. Le père, par exemple, peut affirmer devant l'enfant qu'il tient absolument à ce qu'il retourne à l'école et qu'il n'est pas question qu'il reste à la maison ou qu'il bénéficie du moindre privilège. Mais comment y arriver, comment jouer les parents sévères et, comme certains le disent, sans pitié quand on a soi-même été un enfant très anxieux et même phobique ? N'avons-nous pas évoqué la composante héréditaire des troubles anxieux ? Comment tenir bon avec sa fille quand on se rappelle l'enfant en larmes ou en transes qu'on a été au même âge ?

C'est ici que peut intervenir une **thérapie familiale** ou toute autre approche visant à soutenir les parents. Ces approches familiales tendent à sensibiliser les parents aux manifestations d'évitement de l'enfant tout en les aidant à dissocier le présent de l'enfant du passé de l'adulte. Notons qu'il faut rappeler aux parents, à ce stade, que l'enfant est sous médication et, en conséquence, capable de contrôler sa peur ou sa douleur ; il s'agit là d'un facteur important pour obtenir leur collaboration.

Une fois ces mesures d'urgence établies, il reste à faire face au problème, c'est-à-dire à déterminer avec l'enfant quelles sont les peurs qui sous-tendent ses crises, quels sont les déclencheurs qu'il peut identifier et quels sont les éléments qui lui permettent d'éviter ou de minimiser ces crises.

Après avoir établi une alliance avec le jeune, le pédopsychiatre regarde avec lui quelle part active il prend dans ce trouble et, notamment, quels sont les gains secondaires qu'il obtient en étant malade. Pour l'un, c'est de coucher dans le lit des parents et pour l'autre, c'est d'accaparer l'attention de la mère ou d'aller en école en auto plutôt qu'en autobus scolaire. Pour un adolescent, cela pourrait être de se voir libéré de tous ses devoirs à l'école.

À ce stade, intervient la **psychothérapie behaviorale-cognitive** qui combine plusieurs principes de la théorie de l'apprentissage. Quatre stratégies dominent dans cette thérapie:

1) L'exposition à l'objet de crainte, ce qui se fait de façon progressive, et la *désensibilisation* par le recours à des techniques de relaxation puis à l'immersion (ou *flooding*), c'est-à-dire exposer le jeune aux situations les plus redoutées; par exemple, pour un agoraphobe, il peut s'agir d'utiliser les transports en commun.

2) La modification des facteurs extérieurs influençant l'anxiété par des techniques de conditionnement: renforcement positif (récompenses) et punitions. Ainsi, un enfant qui cherche à éviter l'école pourra regarder la télévision en compagnie d'un de ses parents pendant une demi-heure de plus s'il est allé à l'école sans histoire; au contraire, il devra se coucher sans qu'un parent lui lise une histoire s'il a fait des difficultés pour aller à l'école le matin.

3) Des stratégies cognitives, incluant la modification des facteurs internes qui influencent l'anxiété, en entraînant

l'enfant à se parler à lui-même, à se donner des conseils et en l'engageant à trouver lui-même des solutions à ses problèmes afin qu'il maîtrise son anxiété de l'intérieur.

4) Enfin, le *modeling* qui comprend la démonstration des comportements appropriés dans les situations anxiogènes. Par des jeux de rôle ou en lisant des exemples, le thérapeute « enseigne » des moyens plus adaptés de faire face à l'angoisse.

Ce traitement, relativement court, dure de 10 à 16 semaines. Les thérapeutes utilisent pour ce traitement des manuels où sont consignés des protocoles afin de standardiser le traitement; autrement dit, pour s'assurer qu'il est donné de la même façon à chaque jeune. Cela permet aussi de colliger les résultats de cette forme de thérapie face à différents troubles anxieux et de les comparer à d'autres types de thérapies ou même à l'évolution en l'absence de traitement. Ces comparaisons ont largement démontré l'efficacité supérieure de ce mode de traitement.

Par ailleurs, les résultats de la thérapie cognitive sont durables dans le temps, surtout si les parents (en particulier le père) sont engagés dans le traitement. Peut-être parce qu'ils sont alors en mesure de continuer le travail du thérapeute en rappelant les consignes ou les encouragements prodigués pendant la thérapie. Ainsi, une patiente avec agoraphobie aura probablement des « devoirs » à faire à la maison pendant la période d'immersion. On lui demandera, par exemple, d'aller dans un grand magasin avec une amie et, dans un deuxième temps, d'y aller seule. Ensuite, on proposera une situation plus redoutée, pour un agoraphobe, cela pourrait être d'aller dans le métro avec un ami, puis d'y retourner seul.

On devine que cette forme de thérapie dite behavioralecognitive demande une très grande collaboration de l'enfant et qu'en conséquence, elle s'adresse davantage aux enfants plus âgés et aux adolescents. De plus, on constate combien, dans cette thérapie, le rôle des parents compte pour renforcer la détermination du jeune.

Cette forme de traitement est indispensable pour consolider les progrès et prévenir les rechutes. En ce qui concerne les petits, il est souvent plus efficace de donner à la mère les règles à suivre pour qu'elle puisse elle-même modifier le milieu et faire progresser son enfant tout en tenant compte des capacités de ce dernier. Bien entendu, il faut revoir régulièrement la mère et le jeune enfant afin de vérifier si le programme a été suivi, si la mère ne s'est pas trop laissé attendrir par son enfant ou si, au contraire, elle ne s'est pas raidie dans une attitude où l'enfant se sent brimé ou rejeté. Tous ces ajustements font partie du traitement et mènent progressivement à un résultat positif. Il faut une résistance extraordinaire de l'enfant, des parents ou des deux à la fois, pour que ce type de programme n'aboutisse pas à un changement notable.

Le schéma thérapeutique que nous préconisons est celui qu'exprime M. Labellarte du Johns Hopkins Medical Institution à Baltimore[9] : « Les patients sévèrement anxieux nécessitent un traitement pharmacologique en premier afin d'obtenir un contrôle suffisant des symptômes et pouvoir ainsi participer à la thérapie cognitive-behaviorale. »

Ce modèle thérapeutique est probablement le plus répandu aux États-Unis. Il existe bien sûr des variantes, certains médecins préférant attendre plus longtemps avant de prescrire une médication, d'autres préconisant d'abord la psychothérapie.

9. Labellarte MJ, Ginsburg GS, Walkup JT, Riddle MA. *The treatment of anxiety disorders in children and adolescents*. Review. Biological Psychiatry 1999; 46(11): 1567-1578.

Néanmoins, si l'on tient compte de la distinction faite en introduction entre l'anxiété dite « existentielle », c'est-à-dire liée aux événements difficiles de la vie, et l'anxiété dite « maladie », condition figée dans laquelle l'enfant ne peut plus progresser, il est plus facile de comprendre le choix des différents modes thérapeutiques. La psychothérapie convient très bien pour l'anxiété existentielle et, dans ce cas, le recours à une médication est inutile, pour ne pas dire contre-indiqué. À l'opposé, l'anxiété maladie répond mal à cette approche qui est souvent de longue durée.

L'enfant qui a un trouble anxieux véritable est un enfant malade. Et il souffre. La douleur psychique, bien souvent sous-estimée par les proches, est décrite par les enfants avec des mots très forts : « C'est terrible, ça me rend fou, c'est comme une pression qui est toujours là sur la poitrine, ça m'étouffe. » Dans ce cas, il est impérieux de diminuer cette terrible douleur, ce qui permet à l'enfant de mieux collaborer aux autres traitements.

En résumé, les éléments indispensables du traitement des troubles anxieux sont les suivants :

Premier stade

- Au tout début, agir vite.
- Expliquer à l'enfant ce qui lui arrive.
- Lui redonner espoir.
- Expliquer aux parents qu'il s'agit d'une vraie maladie et non d'une réaction anxieuse banale.
- Faire accepter la médication aux parents si l'état de l'enfant l'exige :
  - donner un anxiolytique à petites doses pour une action rapide qui apporte une aide dans l'immédiat ; on utilise toujours la plus petite dose possible.

– s'il faut prolonger la médication, on utilise plutôt des antidépresseurs de type ISRS (inhibiteurs sélectifs de la recaptation de la sérotonine) qui, à faible dose, sont d'excellents anxiolytiques (médicaments contre l'anxiété).

À cette étape-ci, la collaboration des parents est essentielle et on entame une thérapie familiale.

Second stade

Le second stade est essentiellement la phase de reconstruction à l'aide de la psychothérapie cognitive, avec une insistance sur l'autonomie de l'enfant ou de l'adolescent. Le trouble obsessionnel-compulsif représente un cas particulier. En effet, beaucoup d'auteurs recommandent de commencer d'emblée la thérapie cognitive-behaviorale avec une médication, en général un antidépresseur de type ISRS (inhibiteur sélectif de la recaptation de la sérotonine), surtout si la détresse de l'enfant et de la famille est grande.

Certains parents deviennent très anxieux dès qu'on parle de médication pour un jeune enfant. Ils ont peur que ces « produits chimiques » ne soient nocifs pour le cerveau et le développement de leur enfant. Or, la plupart du temps, ces « produits » font eux-mêmes partie de la composition du cerveau. Ainsi, les antidépresseurs de type ISRS ont pour rôle, semble-t-il, d'augmenter le taux de sérotonine, hormone présente dans le cerveau et responsable, entre autres, de nos humeurs. Savez-vous que le chocolat agit de la même façon ? Vous est-il arrivé de vous demander pourquoi, lorsque vous êtes triste ou de mauvaise humeur, vous avez le goût de manger du chocolat ? C'est tout simplement parce que le chocolat agit sur la sérotonine, ce qui rend de meilleure humeur.

Par ailleurs, il existe dans le cerveau des récepteurs naturels pour les benzodiazépines, ces produits qui agissent efficacement sur l'anxiété. En fait, les choses marchent à l'envers de ce qu'on croit généralement : si l'enfant ne fonctionne pas, c'est parce que son trouble anxieux le rend malade. Il est maussade et craintif, il ne veut pas manger et il a de la difficulté à dormir. Le traitement diminue ces symptômes. Toutefois, on ne prescrit une médication au jeune enfant dont le cerveau est en développement qu'après avoir mesuré ce qui est le mieux pour lui. On choisit alors les doses efficaces les plus faibles.

Jacinthe, petite fille asthmatique de 4 ans, est d'ordinaire la plus dynamique d'un couple de sœurs jumelles. Elle a fait, il y a quatre mois, un pneumothorax. Il s'agit d'une complication très grave amenant le collapsus ou l'affaissement soudain d'un poumon. Imaginez comment on se sent : c'est dramatique, la douleur est intense, on étouffe et on pense mourir.

Pendant tout le temps où elle est aux soins intensifs, Jacinthe montre des signes certains d'anxiété : elle est toujours inconfortable, bouge ses jambes sans arrêt, n'est contente de rien et évite le regard des infirmières. De plus, une fois qu'on lui a enlevé les tubes, elle refuse de parler.

Sur la recommandation du pédiatre, ses parents consultent un psychiatre quatre mois plus tard. Jacinthe a changé de personnalité, la petite fille forte a maintenant peur de tout. Elle fait constamment appel à sa sœur jumelle pour que celle-ci fasse des choses à sa place. Elle qui était jadis un véritable rayon de soleil est toujours de mauvaise humeur et refuse de s'intéresser à quoi que ce soit. Ses nuits sont agitées et peuplées de cauchemars ; alors elle va rejoindre ses parents dans leur chambre. Elle semble terrorisée.

Elle a déjà demandé à sa mère si « cela » pouvait recommencer et elle a pris en aversion ses traitements pour l'asthme. Sa mère note aussi qu'elle évite le plus possible d'ouvrir la bouche et qu'elle colle à elle. On a ici tous les critères d'un état de stress post-traumatique aigu puisque les symptômes remontent à un peu moins de trois mois.

Dans un premier temps, on propose une médication anxiolytique à Jacinthe qui reconnaît qu'elle a très peur de ses cauchemars et qu'elle voudrait qu'ils disparaissent. Par ailleurs, la mère est à bout de forces et il faut agir vite. Le père part bientôt en voyage. D'abord très opposé à la médication, il reconnaît ensuite qu'il ne pourra être d'aucune aide pour la mère durant son absence.

Cette maman revient me voir quelques semaines plus tard avec sa fille. Jacinthe parle maintenant. Elle est moins inhibée, elle dort bien. À la rencontre suivante, elle est pratiquement redevenue la Jacinthe d'avant le pneumothorax : elle est active, s'alimente bien et participe à nouveau à des jeux avec sa sœur. Comme elle parle davantage, elle nous raconte qu'elle a cru mourir lors de son pneumothorax ; elle explique qu'elle a surtout eu peur dans l'auto qui la menait à l'hôpital quand elle a cru que sa mère ne se rendait pas compte qu'il se passait quelque chose de grave (sentiment de fragilité), et plus encore quand sa mère a eu des démêlés avec le médecin de l'urgence pour que celui-ci la voie en priorité (sentiment de futilité). Depuis cet épisode, elle est à l'affût de tout bruit anormal quand elle respire et c'est pour cette raison qu'elle a cessé toute activité.

Après la quatrième rencontre, on diminue la médication progressivement, pour respecter la peur de Jacinthe et pour lui prouver que, même sans médicament, ses cauchemars ne reviendront pas. Elle est maintenant une petite fille heureuse et sans problème.

On le constate, la médication ne l'a pas «amortie», comme ont tendance à le croire beaucoup de parents. Au contraire, le choc et la peur avaient complètement inhibé cette petite fille et changé sa personnalité. La médication lui a permis de refleurir, selon l'expression de sa mère, et de retrouver sa joie de vivre.

Le cas de Anne se situe un peu à l'opposé. Anne est une belle adolescente qui développe de façon accidentelle un toux incoercible au moment où elle entre au secondaire. Les examens médicaux sont tous négatifs et elle a le sentiment de décevoir ses parents. Après cet incident, elle développe très rapidement une agoraphobie doublée d'une phobie scolaire. Elle ne peut plus aller à l'école; la simple vue de l'école la paralyse, elle en est malade physiquement, elle se sent faible, a mal à la tête, a peur de s'évanouir si on la force à y entrer et, finalement, elle revient à la maison.

Elle perd progressivement tous ses amis, refuse d'aller aux réunions d'école et à la discothèque. Elle refuse aussi de prendre une médication et les parents eux-mêmes se montrent assez opposés à cette forme de thérapie. Notons qu'elle développe également une phobie sociale, ne pouvant plus supporter l'idée d'être évaluée en classe devant ses compagnons.

On commence une psychothérapie psychodynamique classique avec la jeune fille qui a alors 14 ans. On rencontre les parents de temps à autre pour faire les ajustements nécessaires. Après deux ans, Anne va mieux, mais elle reste très fragile et, après chaque week-end ou chaque congé scolaire, ou après une maladie physique bénigne (grippe, trouble digestif, etc.), elle retrouve ses nausées et sa difficulté d'aller à l'école.

On commence alors une thérapie cognitive très intense. Anne doit rendre compte de ses succès et de ses échecs. Elle tient un cahier de tous ses faits et gestes et en discute avec sa thérapeute. Néanmoins, elle reste très fragile et a fréquemment le sentiment d'être faible ou sur le point de s'évanouir; cela la dérange souvent à l'école. À l'occasion d'un accident d'auto plutôt bénin mais dans lequel sa mère est aussi impliquée, elle redevient très symptomatique, cesse d'aller à l'école et s'apprête à doubler sa troisième année du secondaire. Les parents s'inquiètent et se fâchent; on décide alors de débuter une médication de type ISRS tout en continuant sa psychothérapie. Cette médication a beaucoup changé Anne qui a pu retourner à l'école et récupérer le temps perdu.

Un an plus tard, elle a repris avec succès une thérapie cognitive avec une psychologue et, après deux ans et demi, elle a pu progressivement diminuer sa médication. C'est maintenant une jeune fille harmonieuse qui fréquente le collège sans problème.

On peut dire que, dans la première partie du traitement qui était sans médication, Anne, malgré tous ses efforts, n'arrivait pas à contrôler sa peur. Après la prise de médicaments, elle est devenue plus réceptive aux autres formes de traitement, notamment à la thérapie cognitive qui est extrêmement pénible et qui demande beaucoup de courage. Comme si, en atténuant la douleur de la peur, on l'avait rendue plus apte à l'affronter.

Il est bien clair qu'on cherche toujours à limiter le plus possible la quantité et surtout la durée de la prise de médicaments chez un jeune sujet. Mais on s'entend généralement pour dire que le danger à l'heure actuelle réside bien davantage dans le sous-traitement, pour ne pas dire dans l'ignorance totale de ces troubles qui sont très souffrants et qui entravent en même temps le développement des capacités de l'enfant.

Conclusion

Si cet ouvrage a suscité chez vous quelques interrogations ou réflexions, alors notre but est atteint. En effet, ce qu'il y a d'inquiétant, c'est de retrouver au moment de dépistages systématiques dans la population un nombre non négligeable de jeunes de moins de 18 ans présentant des troubles anxieux et de constater que très peu de cas arrivent chez le psychiatre. Cela signifie qu'un grand nombre de ces enfants et de ces adolescents sont privés de traitement et qu'ils traîneront le plus souvent leur problème tout au long de leur vie adulte.

Une grande responsabilité incombe aux parents, celle d'être attentifs aux comportements de leurs enfants, de les observer avec minutie et d'être à l'écoute de symptômes qui signalent une souffrance. Cela est particulièrement vrai lorsque le symptôme dure depuis plusieurs semaines. Demander à l'enfant ce qui se passe, ce qui le tracasse, c'est reconnaître qu'il peut lui aussi se sentir faible, troublé et inquiet, sans qu'il y ait là matière à réprimandes et sans que l'on porte de jugement.

En retraçant avec un enfant les raisons qui l'ont fait pleurer et sortir de sa classe par exemple, on crée une occasion unique de communiquer et on lui fournit l'occasion de comprendre ce qui se passe en lui. Il est très humiliant pour un jeune garçon de pleurer devant sa classe; en l'aidant à donner un sens à cet événement dramatique, on le protège et on lui évite peut-être d'autres épisodes de ce genre. Nous disons *peut-être* parce que, malgré toute la bonne volonté de l'enfant ou des parents, cela ne protège pas complètement. Des épisodes analogues ou d'un autre type peuvent survenir à nouveau, révélant une certaine fragilité et indiquant que ce jeune a besoin d'être évalué et même traité.

Le fait de consulter un psychiatre ou un psychologue ne devrait pas faire l'objet de moqueries dans la famille. Il arrive trop souvent que l'un des deux parents consulte avec le jeune et que, plus tard, l'autre parent proteste; ce dernier affirme alors qu'il n'y a rien là de spécial, que leur enfant n'a pas peur et qu'il n'a pas besoin de traitement. Cette attitude condamne le jeune car, s'il se fait traiter, il s'aliène le parent qui nie la maladie, lui qui a tant besoin du soutien de ses deux parents; dans le cas contraire, s'il prétend qu'il n'a pas besoin d'aide, comme le parent qui nie, il risque de garder ses problèmes très longtemps.

Vous trouvez peut-être que la responsabilité que l'on attribue aux parents est trop grande, car après tout ce ne sont pas des experts. Cela est vrai. Toutefois, on constate que ni les enseignants ni les entraîneurs ou les dirigeants d'associations de jeunes ne détectent généralement ces troubles. En revanche, d'après plusieurs enquêtes, les enseignants détectent beaucoup mieux les troubles de l'hyperactivité. L'explication est très simple: l'hyperactif dérange la classe, attire l'attention de l'enseignant alors que, la plupart du temps, l'enfant anxieux reste recroquevillé sur son siège et trop calme; ce que l'enseignant traduit par: « C'est un bon enfant. » Il appartient donc aux parents d'être en éveil et à l'écoute, car leurs enfants sont les mieux placés pour rapporter leurs symptômes anxieux. En posant les bonnes questions, les parents auront des réponses assez claires. Ils joueront ainsi leur rôle de tuteur et de protecteur. Laissez la porte ouverte à l'expression des émotions pour que votre enfant puisse vous confier peurs et faiblesses sans se sentir jugé. Par la suite, c'est à vous, parents, qu'appartient la décision de consulter.

L'enfant qui souffre d'un trouble anxieux sait qu'il se passe en lui quelque chose de « pas correct » et, surtout, il sait qu'il a peur. Mais il faut le lui demander, car il est très rare qu'il le dise spontanément. C'est là tout le travail du psychiatre, aidé de son équipe d'experts.

Certains parents s'exclament : « À moi, il ne m'a jamais parlé de cela. » C'est sûrement très frustrant pour les parents, mais c'est pourtant vrai que la spécialité du psychiatre consiste à savoir mettre l'enfant à l'aise par des jeux et des dessins, et de lui permettre d'exprimer cette angoisse dont il n'ose parler à personne. Cela demande aux parents une très grande confiance en ce médecin qui, bien que pur étranger, leur dévoilera des choses qu'ils ne connaissent pas sur leur enfant. Cela demande aussi de la part des parents un très grand amour de leur enfant pour continuer dans ce chemin aride qui mène à la guérison.

Annexes

Annexe 1

Une brève description des troubles d'anxiété*

Association / Troubles anxieux du Québec (ATAQ)

▼

L'anxiété généralisée

Le trouble d'anxiété généralisée est défini comme étant l'anxiété et l'inquiétude excessives concernant plusieurs situations ou événements. Ce trouble se caractérise par la présence constante d'inquiétudes difficilement contrôlables. Lors d'une situation donnée, le sujet entretient psychologiquement plusieurs scénarios négatifs et devient hypervigilant et très vulnérable aux stresseurs environnementaux. Au niveau diagnostic, l'anxiété généralisée est caractérisée par au moins 6 mois d'inquiétude persistante et excessive et plusieurs symptômes physiques.

Le trouble panique avec ou sans agoraphobie

Le trouble panique fait partie des troubles anxieux selon la classification américaine des troubles mentaux. Il se caractérise par la présence d'attaques de panique dont au moins quelques-unes surviennent de façon imprévisible et inattendue. Ces attaques de panique se manifestent soudainement et sont accompagnées de crainte ou de malaise intense. Les principaux symptômes qui accompagnent ces périodes d'anxiété sont des sensations d'étouffement, des étourdissements, des sensations d'instabilité, des palpitations cardiaques, des tremblements, de la transpiration, une peur de perdre le contrôle, de devenir fou, ou de mourir. Le trouble panique peut être accompagné d'évitement agoraphobique et se nomme alors trouble panique

* Extraits d'un document disponible sur le site Web de l'ATAQ.

avec agoraphobie. L'évitement agoraphobique consiste à éviter des endroits ou des situations dans lesquelles la personne craint qu'il soit difficile de recevoir de l'aide en cas d'attaque de panique.

Les phobies

Dans la phobie spécifique, les attaques de panique sont déclenchées par un stimulus distinct (ex. : serpent, avion, chien, etc.) ou une situation particulière (ex. : arriver en retard au travail). L'objet ou la situation est clairement défini et sa présence est perçue comme étant une menace. Une simple exposition au stimulus phobique entraîne invariablement une réponse d'anxiété chez la personne. Sur le plan diagnostic, la peur doit être considérée « anormale », c'est-à-dire qu'elle empêche l'individu de bien s'adapter à son environnement. Cette notion de sévérité permet de distinguer les « peurs normales » des phobies.

Cette problématique amène généralement le sujet à adopter des comportements d'évitement. Dans certaines situations incontournables, le sujet tolère la situation en acceptant de vivre avec une crainte intense. Les stimuli phobiques les plus prévalents sont le sang, les hauteurs, les microbes, les araignées, les vols aériens, les vomissements, et les ascenseurs.

La phobie spécifique se divise en 4 types : des animaux, des éléments de l'environnement naturel, des transfusions de sang, des situations spécifiques. Des études effectuées auprès de la communauté révèlent que la prévalence à vie de la phobie spécifique est de 9 %.

La phobie sociale

En ce qui a trait à la phobie sociale, les attaques de panique du sujet sont déclenchées par les situations sociales où le sujet a peur d'être jugé par les autres. La personne craint de mal paraître devant les autres et s'intéresse beaucoup à ce que son entourage peut penser d'elle.

Le diagnostic se pose uniquement si la situation anxiogène interfère significativement avec le fonctionnement de la vie sociale de l'individu. À noter que les situations de performances sociales représentent des contextes risquant fortement d'entraîner une forte réaction émotionnelle. À titre d'exemple, cette règle s'applique très bien dans le cas où un étudiant doit faire une présentation orale en classe. Les études épidémiologique rapportent un taux de prévalence à vie de 3 % à 13 % dans la communauté.

Le trouble obsessionnel-compulsif

Le sujet obsessionnel-compulsif souffre ou bien d'obsessions ou de compulsions, ou des deux. Les obsessions sont des pensées ou des images récurrentes envahissantes qui créent de l'anxiété. Ces pensées ne représentent pas des préoccupations exagérées envers des problèmes ordinaires de la vie et la personne qui en est accablée fait des efforts pour ignorer, supprimer ou neutraliser ces pensées.

Les compulsions sont des comportements répétitifs émis en réaction aux obsessions ou pour prévenir ou réduire un malaise, ou encore pour prévenir un événement malheureux.

Les obsessions et/ou les compulsions doivent entraîner un malaise important, prendre beaucoup de temps (p. ex. : plus d'une heure par jour) ou interférer significativement avec le fonctionnement normal d'une personne. Comme dans le cas de la phobie spécifique, ce critère permet de distinguer les gens qui, par exemple, vérifient « un peu » si leur porte est bien barrée et ceux qui souffrent de trouble obsessionnel compulsif. L'individu souffrant d'obsessions compulsions doit être en mesure de reconnaître la nature irrationnelle ou excessive de ses comportements. Parmi les peurs les plus communes, on retrouve la peur de la contamination (microbes), le besoin de placer les choses dans un certain ordre et la peur d'adopter des comportements violents. Au niveau de la prévalence à vie, les statistiques indiquent qu'environ 1,5 % à 2,1 %. de la population souffre de ce trouble.

Le trouble de stress post-traumatique

Le TSPT découle selon le DSM-IV (American Psychiatric Association, 1994) de l'exposition à un événement traumatique qui provoque chez l'individu de la peur, de la détresse ou de l'horreur. Ce trouble se manifeste par une réexpérience persistante de l'événement traumatique, des comportements d'évitement des stimuli associés au traumatisme, un émoussement de la réactivité générale et un état d'hyperactivité neurovégétative.

ANNEXE 2

APERÇU DES TROUBLES ANXIEUX*

1. *Qu'est-ce-que les troubles anxieux?*

Les troubles anxieux désignent un groupe d'affections mentales caractérisées essentiellement par une anxiété, une peur, une crainte, un comportement d'évitement et des rituels compulsifs excessifs. Parmi les troubles anxieux les plus répandus recensés dans le *Manuel diagnostique et statistique des troubles mentaux* (Quatrième édition) (DSM-IV; American Psychiatric Association, 1994), on distingue le trouble panique avec ou sans agoraphobie (TPA et TP, respectivement), la phobie sociale, le trouble obsessionnel-compulsif (TOC), l'anxiété généralisée (AG) et l'état de stress post-traumatique (ESPT). C'est sur ces affections que portera notre analyse. Au nombre des autres troubles connexes dont nous ne traiterons pas ici, on pourrait citer l'état de stress aigu (qui se rapproche de l'ESPT, si ce n'est de sa durée qui est plus brève), le trouble anxieux associé à un problème de santé général, le trouble anxieux lié à l'utilisation de substances toxiques, l'agoraphobie sans antécédents de troubles paniques et le trouble anxieux non spécifié. Très peu de recherches ont été réalisées sur ces troubles.

---

*Reproduit de: ANTHONY MM, SWINSON RP. *Les troubles anxieux: Orientations futures de la recherche et du traitement.* Ottawa: Santé Canada. © Ministère des Travaux publics et Services gouvernementaux Canada, 2001.

a. Trouble panique avec agoraphobie (TPA) et sans agoraphobie (TP)

Les troubles paniques se caractérisent par la récurrence d'attaques de panique survenant de façon imprévisible (autrement dit, sans aucun lien évident avec un événement déclenchant), et la peur d'être en proie à d'autres crises, l'inquiétude associée à leurs conséquences et/ou un changement de comportement marqué entraîné par les attaques. Lorsque les symptômes du TP poussent le sujet à éviter les situations d'où il pourrait être difficile de s'enfuir ou dans lesquelles il pourrait ne pas trouver de secours en cas d'attaque de panique, on posera le diagnostic d'agoraphobie. Parmi les situations les plus fréquemment évitées figurent la conduite, l'utilisation des moyens de transport en commun, les déplacements, la solitude, les foules et la fréquentation des magasins.

b. Trouble obsessionnel-compulsif (TOC)

Le trouble obsessionnel-compulsif se manifeste par la présence d'obsessions (idées, images ou impulsions qui s'imposent à la conscience de manière répétitive et incœrcible et qui suscitent énormément d'anxiété), accompagnées ou non de compulsions (acte répétitif qu'accomplit le sujet, réellement ou en pensée, pour réduire la tension intérieure engendrée par les obsessions). Les obsessions les plus fréquentes sont liées à la peur d'être contaminé, au doute et à des pensées troublantes d'ordre sexuel ou religieux. Le lavage des mains, les vérifications, les commandes d'articles et les opérations arithmétiques font partie des compulsions les plus courantes. En outre, on ne diagnostiquera un TOC que si les obsessions ou les compulsions sont accaparantes ou occasionnent un profond désarroi.

c. Phobie sociale

La phobie sociale désigne une affection mentale caractérisée par une peur excessive ou irraisonnée de se retrouver en société ou d'agir en public. Le sujet qui souffre de phobie sociale peut redouter ou éviter, entre autres, d'assister à une soirée ou à une réunion, de manger en public, d'écrire en présence d'autres personnes, de parler en public, de discuter avec des gens et de rencontrer de nouvelles personnes. L'anxiété éprouvée n'est pas exclusivement liée à la crainte que d'autres personnes s'aperçoivent des symptômes d'un autre trouble physique ou mental dont souffre le sujet (ainsi, un individu atteint de la maladie de Parkinson qui craindrait que les gens ne remarquent son tremblement ne serait pas considéré comme atteint de phobie sociale). De plus, on ne diagnostiquera la phobie sociale que si la peur empêche la personne de mener une existence normale ou occasionne une grande détresse.

d. Anxiété généralisée (AG)

L'anxiété généralisée se caractérise surtout par une inquiétude excessive qui domine dans la vie du sujet et qui concerne différents aspects de sa vie (p. ex. travail, situation financière, famille, santé). La personne qui souffre d'anxiété généralisée maîtrise difficilement son inquiétude et présente au moins trois des six symptômes suivants: fébrilité, fatigue, difficulté de concentration, irascibilité, tension musculaire et trouble du sommeil. On ne diagnostiquera l'anxiété généralisée que si l'inquiétude n'est pas exclusivement rattachée aux manifestations d'un autre trouble, par exemple la crainte d'être en proie à une attaque de panique, si le sujet souffre de TP, et si elle engendre une grande détresse ou nuit au fonctionnement de la personne.

e. Phobie spécifique

La phobie spécifique désigne une peur excessive ou irraisonnée éprouvée à l'égard d'un objet ou d'une situation, qui pousse généralement le sujet à éviter l'objet ou la situation redoutés. À titre d'exemples de phobie spécifique, on pourrait citer la crainte des hauteurs, des avions, des animaux, des injections et du sang. La peur ne doit pas être associée à un autre trouble (par exemple une personne souffrant d'agoraphobie qui évite de prendre l'avion de crainte d'être prise d'une attaque de panique). En outre, elle doit engendrer une grande détresse ou nuire au fonctionnement de l'individu.

f. État de stress post-traumatique (ESPT)

L'ESPT est un trouble diagnostiqué lorsqu'une personne vit un événement traumatique qui comporte des pertes de vie ou des risques de décès ou des blessures physiques graves pour elle ou pour d'autres, et qu'elle y réagit avec une peur intense, un sentiment de désespoir ou d'horreur. La peur est associée à des symptômes de trois types: (1) reviviscence de l'événement (cauchemars, « flashbacks » et souvenirs envahissants); (2) conduite d'évitement et émoussement des émotions (par exemple, tendance à éviter de parler du traumatisme ou d'y penser); (3) symptômes de vigilance accrue (notamment insomnie et hypervigilance). On ne diagnostiquera un ESPT que si les symptômes persistent pendant au moins un mois et provoquent une profonde détresse ou nuit au fonctionnement du sujet.

Ressources

Associations

Association / Troubles Anxieux du Québec (A.T.A.Q.)
C.P. 49018,
Montréal (Québec) H1N 3T6
Tél. : (514) 251-0083
Sans frais : 1-877-251-0083
Fax : (514) 251-0071
www.ataq.org/
info@ataq.org

L'Association offre des services de formation aux professionnels en santé mentale et fournit de l'information au grand public.

Phobies-Zéro
C.P. 83
Sainte-Julie (Québec) J3E 1X5
Ligne d'écoute : (514) 276-3105
Administration (450) 922-5964
Ou faire le (514) 877-5000 attendre la tonalité et composer le (450) 922-5269
Télécopieur (450) 922-5935

Points de service :
Lévis : (418) 832-5651
Thetford Mines : (418) 338-3511
Groupe anglais à Pierrefonds : (514) 684-6160

phobies-zero.qc.ca/frame.html
administration@phobies-zero.qc.ca

Phobies-Zéro s'adresse à toute personne souffrant d'anxiété, de trouble panique, de phobies et d'agoraphobie ainsi qu'à leurs proches. Services offerts: ligne d'écoute téléphonique 7 jours sur 7, jour et nuit, groupes de soutien, « Volet jeunesse » (thérapies individuelles et de groupe, conférences , documentation, réunions hebdomadaires) et plusieurs autres.

Livres

GAGNON A. *Démystifier les maladies mentales: les troubles de l'enfance et de l'adolescence.* Boucherville: Gaëtan Morin, 2001. 427 p.

GAREL P. *Les troubles anxieux chez l'enfant et l'adolescent: continuité, comorbidité, chronicité.* PRISME 1998 8(1): 94-112.

MARRA D, GAREL P ET LEGENDRE C. *Phobie scolaire et troubles de l'anxiété en milieu scolaire.* PRISME 1997 7(3-4): 570-579.

MOUREN-SIMÉONI MC. *Troubles anxieux de l'enfant et de l'adolescent.* Paris: Maloine, 1993. 152 p.

Les troubles anxieux. In DUMAS JE. *Psychopathologie de l'enfant et de l'adolescent.* Bruxelles: De Boeck Université, 1999: p. 321-371.

RAPOPORT J. *Le garçon qui n'arrêtait pas de se laver.* Paris: Odile Jacob, 2001. 292 p.

Document audio

Le trouble panique. Cassette audio ou disque compact, 40 minutes. Coproduction: ATAQ (Association/Troubles anxieux du Québec) et CECOM (Hôpital Rivières-des-Prairies), 1997.

Sites Web

Brève description des troubles anxieux
Association/Troubles Anxieux du Québec (ATAQ)
www.ataq.org/trbl.htm

Définitions des troubles anxieux
Phobies Zéro
www.phobies-zero.qc.ca/voletinfo/menudefinition.html

Phobie scolaire et trouble d'anxiété en milieu scolaire
Association canadienne pour la santé des adolescents
www.acsa-caah.ca/fran/documents/phobiescolaireetanxiete.PDF

Troubles obsessionnels compulsifs : des enfants trop parfaits
Edicom - Santé
www.edicom.ch/sante/conseils/psy/toc.html

Bibliographie

American Psychiatric Association. *Diagnostic and statistical manual of mental disorders*. 4e éd. Washington (D.C.): APA. Pour la traduction française, voir : *DSM-IV: Manuel diagnostique et statistique des troubles mentaux*. Paris: Masson, 1996.

Black DW, Noyes R, Goldstein RB, Blum N. *A family study of obsessive-compulsive disorder*. Archives of General Psychiatry 1992; 49(5): 362-368.

Clifford CA, Murray RM, Fulker DW. *Genetic and environmental influences on obsessional traits and symptoms*. Psychological Medicine 1984; 14(4): 791-800.

Cohen P, Kasen S, Brook JS, Struening EL. *Diagnostic predictors of treatment patterns in a cohort of adolescents*. Journal of the American Academy of Child & Adolescent Psychiatry 1991; 30 (6): 989-993.

Costello EJ, Costello AJ, Edelbrock C, Burnns BJ, Dulcan MK, Brent D, Janiszewski S. *Psychiatric disorders in pediatric primary care. Prevalence and risk factors*. Archives of General Psychiatry 1988; 45(12): 1107-1116.

Kagan J, Snidman N. *Early childhood predictors of adult anxiety disorders*. Review. Biological Psychiatry 1999; 46(11): 1536-1541.

Labellarte MJ, Ginsburg GS, Walkup JT, Riddle MA. *The treatment of anxiety disorders in children and adolescents*. Review. Biological Psychiatry 1999; 46(11): 1567-1578.

Masi G, Mucci M, Favilla L, Romano R, Poli P. *Symptomatology and comorbidity of generalized anxiety disorder in children and adolescents*. Comprehensive Psychiatry 1999; 40(3): 210-215.

MENDLOWITZ SL, MANASSIS K, BRADLEY S, SCAPILLATO D, MIEZITIS S, SHAW BF. *Cognitive-behavioral group treatments in childhood anxiety disorders: the role of parental involvement.* Journal of the American Academy of Child & Adolescent Psychiatry 1999; 38 (10): 1223-1229.

MOUTIER CY, STEIN MB. *The history, epidemiology and differential diagnosis of social anxiety disorder.* Review. Journal of Clinical Psychiatry 1999; 60(suppl 9): 4-8.

PIACENTINI J. *Cognitive behavioral therapy of childhood OCD.* Review. Child & Adolescent Psychiatric Clinics of North America 1999; 8(3): 599-616.

PYNOOS RS, FREDERICK C, NADER K, ARROYO W, STEINBERG A, ETH S, NUNEZ F, FAIRBANKS L. *Life threat and posttraumatic stress in school-age children.* Archives of General Psychiatry. 1987; 44(12): 1057-1063.

RASMUSSEN SA, EISEN JL. *Treatment strategies for chronic and refractory obsessive compulsive disorder.* Journal of Clinical Psychiatry 1997; 58(suppl 13): 9

RUTTER M, SILBERG J, O'CONNOR T, SIMONOFF E. *Genetics and child psychiatry: Empirical research findings.* Review. Journal of Child Psychology & Psychiatry & Allied Disciplines 1999; 40 (1): 19-55

SCHWARTZ CE, SNIDMAN N, KAGAN J. *Adolescent social anxiety as an outcome of inhibited temperament in childhood.* Journal of the American Academy of Child & Adolescent Psychiatry 1999; 38(8): 1008-1015.

WESTENBERG PM, SIEBELINK BM, WARMENHOVEN NJ, TREFFERS PD. *Separation anxiety and overanxious disorders : relations to age and level of psychosocial maturity.* Journal of the American Academy of Child & Adolescent Psychiatry 1999; 38(8): 1000-1007.

ZOHAR, AH. *The epidemiology of obsessive-compulsive disorder in children and adolescents.* Child & Adolescent Psychiatric Clinics of North America 1999; 8(3): 445-460.

L'Hôpital Sainte-Justine, l'un des plus importants hôpitaux pédiatriques d'Amérique du Nord, est le centre hospitalier universitaire (CHU) mère-enfant du réseau québécois de la santé.

L'allaitement maternel

Comité pour la promotion de l'allaitement maternel de l'Hôpital Sainte-Justine
ISBN 2-921858-69-X
1999
96 pages

Le lait maternel est le meilleur aliment pour le bébé. Il permet, de plus, d'établir une relation privilégiée avec lui. Ce livre a pour objectif de répondre à toutes les questions que se posent les mères. Il fournit de très nombreuses indications pratiques et peut aussi être utile à tout professionnel de la santé qui veut se renseigner davantage ou qui désire informer sa clientèle.

Apprivoiser l'hyperactivité et le déficit de l'attention

Colette Sauvé
ISBN 2-921858-86-X
2000
88 pages

Comment gérer le comportement parfois étourdissant de votre enfant pour lequel un diagnostic d'hyperactivité ou de déficit de l'attention a été posé ? L'auteur présente pour chaque groupe d'âge (3-5 ans, 6-12 ans, adolescence) trois parcours : 1) s'informer, comprendre, accepter ce désordre neurologique ; 2) prendre conscience de ses capacités d'éducateur ; 3) mettre en pratique de nouvelles stratégies.

Au-delà de la déficience physique ou intellectuelle Un enfant à découvrir

Francine Ferland
ISBN 2-922770-09-5
2001
232 pages

L'enfant avec une déficience physique, intellectuelle ou sensorielle est avant tout un enfant et ses parents sont d'abord des parents. Comment ne pas laisser la déficience prendre toute la place dans la vie familiale ? Comment favoriser le développement de cet enfant et découvrir le plaisir avec lui ? Peut-il rester du temps pour penser à soi ? Cet ouvrage fait des suggestions simples et concrètes.

Au fil des jours... après l'accouchement

L'équipe de périnatalité de l'Hôpital Sainte-Justine
ISBN 2-922770-18-4
2001
96 pages

La naissance d'un enfant est un événement heureux qui nécessite toutefois une période d'adaptation. Ce livre, qui s'adresse à la nouvelle accouchée de même qu'à tous les membres de la famille, a pour but de faciliter cette adaptation. Il répond aux questions qui surgissent inévitablement au cours des premiers mois suivant l'accouchement.

Au retour de l'école
La place des parents dans l'apprentissage scolaire

Marie-Claude Béliveau
ISBN 2-921858-94-0
2000
176 pages

En plus de proposer aux parents une vision originale de leur rôle d'accompagnateurs, cet ouvrage leur fournit toute une panoplie de moyens pour aider l'enfant à développer des stratégies d'apprentissage efficaces, le soutenir concrètement dans ses devoirs et ses leçons, l'encourager à intégrer dans le quotidien les connaissances et habiletés acquises à l'école et entretenir sa motivation.

En forme après bébé
Exercices et conseils

Chantale Dumoulin
ISBN 2-921858-79-7
2000
120 pages

Après la naissance de votre enfant, vous avez hâte de retrouver votre forme. Donnez-vous le temps nécessaire pour recouvrer vos forces. Ce guide vous indique des exercices à faire pour renforcer vos muscles abdominaux et ceux du plancher pelvien de même que pour retrouver une bonne posture. Il fournit également des conseils pratiques sur la meilleure façon de reprendre vos activités quotidiennes.

En forme en attendant bébé
Exercices et conseils

Chantale Dumoulin
ISBN 2-921858-97-5
2001
104 pages

Voici un guide pratique qui contient des informations et des exercices qui vous permettront non seulement de garder votre forme pendant la grossesse, mais également de vous préparer à l'accouchement, à la période postnatale et au retour à la forme physique pré-grossesse. En faisant de l'exercice, vous aurez plus d'énergie et de force et, de cette façon, vous ressentirez moins la fatigue.

L'enfant malade
Répercussions et espoirs

Johanne Boivin, Sylvain Palardy et Geneviève Tellier
ISBN 2-921858-96-7
2000
96 pages

Ce livre s'adresse aux adultes qui vivent la maladie d'un enfant, avec tous les défis et toutes les inquiétudes suscités par cet agresseur imprévisible. Il invite à mieux comprendre l'enfant atteint et la famille qui n'a parfois plus de recours et qui ressent intensément son impuissance. Un livre qui porte aussi l'espoir.

L'estime de soi, un passeport pour la vie

Germain Duclos
ISBN 2-921858-81-9
2000
120 pages

L'estime de soi, le plus précieux héritage que des parents peuvent léguer à un enfant, doit être nourrie dès le plus jeune âge. Dans un langage simple, l'auteur propose des attitudes éducatives positives dont la mise en œuvre permet à l'enfant d'acquérir une meilleure connaissance de sa valeur personnelle. L'estime de soi : un cadeau merveilleux qui constitue un véritable passeport pour la vie !

Être parent, une affaire de cœur I

Danielle Laporte
ISBN 2-921858-74-6
1999
144 pages

Un livre sur les relations entre parents et enfants qui allie de solides connaissances scientifiques à des qualités de cœur. Danielle Laporte aborde avec simplicité et précision des sujets difficiles, voire brûlants (discipline, maladie, conflits conjugaux, séparation, stress, bonheur, etc.). Elle nous laisse aussi en héritage le goût de vivre pleinement le plaisir d'être parent.

Être parent, une affaire de cœur II

Danielle Laporte
ISBN 2-922770-05-2
2000
136 pages

Ce nouvel ouvrage de Danielle Laporte dresse une série de portraits saisissants : l'enfant timide, agressif, solitaire, fugueur, déprimé, etc. L'auteur nous livre aussi des réflexions pleines de sensibilité sur la confiance en soi, l'ami imaginaire, l'intimité et la générosité. Chaque parent est invité à découvrir son enfant et à l'accompagner dans le long périple qui mène à l'autonomie.

Famille, qu'apportes-tu à l'enfant ?

Michel Lemay
ISBN 2-922770-11-7
2001
216 pages

La constitution d'une famille est une prodigieuse aventure ; ce livre en fait le récit. Il aborde de plus les fonctions de chaque protagoniste, mère, père, fratrie, grands-parents, collatéraux, sans oublier l'enfant lui-même. Enfin, il étudie les différentes situations familiales qui existent à l'heure actuelle. L'auteur s'adresse au lecteur en tant que parent, mais aussi en tant que psychiatre d'enfants.

Guide Info-Parents I
L'enfant en difficulté
Michèle Gagnon, Louise Jolin et Louis-Luc Lecompte
ISBN 2-921858-70-3
1999
168 pages

Maladie, deuil, peurs inexpliquées, sommeil perturbé, violence à l'école... Pour aider les parents et leurs enfants à apprivoiser ensemble ces difficultés et bien d'autres, voici, présenté sous 60 thèmes, un vaste choix de livres, d'associations et de liens vers des sites Internet. Un outil également indispensable pour les éducateurs, les intervenants du secteur de la santé et les professionnels de la documentation.

Guide Info-Parents II
Vivre en famille
Michèle Gagnon, Louise Jolin et Louis-Luc Lecompte
ISBN 2-922770-02-8
2000
184 pages

Construit comme le *Guide Info-Parents I*, cet ouvrage propose des livres, des associations et des sites Internet concernant la vie de famille: traditionnelle, monoparentale, ou recomposée, séparation ou divorce, enfant doué, enfant adopté, relation avec un adolescent, discipline, conflits frères-sœurs, éducation sexuelle...

Guide Info-Parents III
Maternité et développement du bébé
Michèle Gagnon, Louise Jolin et Louis-Luc Lecompte
ISBN 2-922770-22-2
2001
148 pages

Ce troisième *Guide Info-Parents* est divisé en quatre parties: Devenir parents, La grossesse et l'accouchement, Les complications de la grossesse, Bébé est arrivé. Il contient un vaste choix de livres, de groupes d'entraide et des sites Internet reliés à la maternité et au développement du bébé. Destiné d'abord aux nouveaux parents et à toute personne travaillant auprès d'eux, le guide s'adresse également aux libraires, aux bibliothécaires et aux recherchistes.

Guider mon enfant dans sa vie scolaire

Germain Duclos
ISBN 2-922770-21-4
2001
248 pages

Cet ouvrage aborde les questions qui reflètent les inquiétudes de la plupart des parents par rapport à la vie scolaire de leur enfant : motivation, autonomie, devoirs et leçons, créativité, sentiment d'appartenance, relations parents-intervenants scolaires, difficultés d'adaptation ou d'apprentissage, stress de performance, etc.

Les parents se séparent
Pour mieux vivre la crise et aider son enfant

Richard Cloutier, Lorraine Filion et Harry Timmermans
ISBN 2-922770-12-5
2001
164 pages

Ce livre s'adresse aux parents qui vivent la crise de la séparation. Le défi est de bien vivre ce bouleversement, de soutenir l'enfant et de trouver une nouvelle forme à la famille, qui soit différente de l'ancienne et qui puisse permettre de continuer d'être parent à part entière. Pour aider les parents en voie de rupture ou déjà séparés à garder le cap sur l'espoir et la recherche de solutions.

La scoliose
Se préparer à la chirurgie

Julie Joncas et collaborateurs
ISBN 2-921858-85-1
2000
100 pages

Cet ouvrage s'adresse aux adolescents et adolescentes qui doivent subir une chirurgie correctrice pour une scoliose de même qu'à leurs familles. L'auteur (et ses collaborateurs québécois et français) explique en détail, dans un style simple et vivant, en quoi consistent la scoliose et la chirurgie correctrice ; il donne également tous les renseignements concernant la préhospitalisation et les périodes per et postopératoire.

Les troubles anxieux expliqués aux parents

Chantal Baron
ISBN 2-922770-25-7
2001
88 pages

Un grand nombre d'enfants et d'adolescents souffrent de troubles anxieux (anxiété de séparation, anxiété généralisée, trouble panique, agoraphobie, trouble obsessif-compulsif, trouble de stress aigu ou post-traumatique, etc.). Que sont ces maladies qui altèrent de façon marquée le fonctionnement de ces jeunes ? Quelles en sont les causes et que faire pour aider ceux qui en souffrent ?

Les troubles d'apprentissage : comprendre et intervenir

Denise Destrempes-Marquez et Louise Lafleur
ISBN 2-921858-66-5
1999
128 pages

Les troubles d'apprentissage ne sont pas dus à un déficit de l'intelligence, mais plutôt à des difficultés dans l'acquisition et le traitement de l'information. Peut-on imaginer la frustration de l'enfant et l'inquiétude des parents qui ne savent pas comment intervenir ? Ce guide fournira aux parents des moyens concrets et réalistes pour mieux jouer leur rôle.

Imprimé sur du papier Enviro 100% postconsommation
traité sans chlore, accrédité ÉcoLogo et fait à partir de biogaz.